# La lengua
## y otros dialectos

Luis Saldaña
# La lengua
*y otros dialectos*

TERRANOVA
EDITORES

©2009 Luis Saldaña
PARA ESTA EDICIÓN DE TERRANOVA
PROHIBIDA LA REPRODUCCIÓN,
EN CUALQUIER FORMA Y POR CUALQUIER MEDIO, DE ESTA EDICIÓN.

PORTADA: COMPOSICIÓN DIGITAL A PARTIR DE "DISCARDED VERSES AND UNUSED WORDS"

(©2005 BEN PHILLIPS)


ISBN-978-1-935163-05-3


GRAN PREMIO NUEVAS PUBLICACIONES
X FERIA INTERNACIONAL DEL LIBRO DE PUERTO RICO 2007


IMPRESO EN COLOMBIA
PRINTED IN COLOMBIA
IMPRESO POR QUEBECOR WORLD BOGOTA S. A.

TERRANOVA EDITORES
CUARTEL DE BALLAJÁ
LOCAL V
VIEJO SAN JUAN, PUERTO RICO 00901

P.O. BOX 79509
CAROLINA , PUERTO RICO 00984-9509
TELEFAX: 787.791.4794
EMAIL: ETERRANOVA@PRTC.NET
WWW.TERRANOVAEDITORES.COM
"LEER ESTÁ DE MODA; REGALE UN LIBRO"

# CONTENIDO

*A Omara,*
*porque me regalas tus madrugadas*

# La lengua
## y otros dialectos

# La lengua

*En el mundo ocurren verdaderos disparates.*
*A veces sin la menor verosimilitud;*
LA NARIZ
–Nicolai Gogol

A nadie sorprendió entonces que fuera la propia lengua de Juan Pablo Salazar quien despidiera el duelo la mañana de su entierro. La consternación que causó la repentina muerte, impidió que los deudos repararan en lo insólito del fenómeno. Tampoco los ciudadanos de H se sorprendieron de que la lengua de Juan Pablo lo hubiera sobrevivido ni de que, poco a poco, lo hubiera suplantado en todos sus cargos, derechos y privilegios.

Querido y respetado en Ciudad H, además de un exitoso industrial, Juan Pablo Salazar era un mecenas, filántropo, dueño de un periódico, director de varias corporaciones, esposo y padre ejemplar. Si se cruzaba con una dama, se quitaba el sombrero y hacía una reverencia afable. Si alguien necesitaba un consejo, tenía disponible el más práctico. En fin, era el paradigma del ciudadano honorable. Por eso en Ciudad H disculpaban su exagerada afición al chisme y su inclinación a revelar confidencias y secretos de toda índole.

Una tarde de mayo, justo antes de comenzar una conferencia de prensa en la que anunciaría el ganador de un certamen de cuento, Juan Pablo sintió una punzada aguda en la base de la lengua. El dolor se hizo insoportable y comenzó a extenderse, garganta abajo, hacia el estómago. Tuvo la certeza de que iba a morir cuando sintió un ladrillo aprisionado entre los dientes. Los periodistas reunidos para la conferencia transmitieron lo que sucedió en directo y a través de todos los medios. Así se enteraron en Ciudad H de que Juan Pablo Salazar había muerto.

Horas más tarde, se difundió que la muerte de Salazar había sido el primer caso de una rara enfermedad, consistente en la transmigración del cerebro hacia la lengua y el subsiguiente desmembramiento de ésta. Un compungido director del Instituto Nacional de Patología informaba a Ciudad H los pocos detalles que se conocían sobre el padecimiento, cuando fue interrumpido por una lengua inmensa, rojísima, babosa. El apéndice escarlata reclamó ser Juan Pablo Salazar y exigió todos sus derechos, en especial, el de organizar su propio entierro. Durante el reportaje, el patólogo informó que todas las pruebas de ADN practicadas hasta ese momento confirmaban que la lengua era, en efecto, el famoso empresario.

Nadie tuvo objeción a que fuera la lengua quien organizara todos los trámites funerarios.

—¿Dónde vas a dormir? —preguntó Carmen a su lenguaesposo, cuando regresaban del sepelio.

—En nuestra cama, sigo siendo tu esposo. Lo que enterramos hoy era una extensión inoportuna que diluía mi esencia —contestó la lengua en un tono arrogante.

Carmen no se había planteado hasta entonces los inconvenientes de cumplir con sus deberes de esposa, pero no se atrevió a contradecir a la lengua. Le espantaba la idea de dormir con aquel molusco que, en menos de veinticuatro horas, se desprendió de su marido, lo enterró y estaba ejerciendo un poder sobre Ciudad H que él nunca había ostentado. Aunque la lengua caminaba dando saltitos, seguidos de un sonoro boing, boing, esa noche Carmen la vio reptar desde el baño hasta la cama dejando tras de sí un rastro brilloso. Sintió que la gran lapa se coló entre las sabanas, resbaló muy lenta entre sus piernas y se le metió en el infierno. Tuvo que ahogar los quejidos placenteros con la almohada para no despertar a los niños.

La lengua, su esposa y los dos hijos desayunaron en perfecta armonía la mañana siguiente. No hubo luto, no hubo duelo. Desde entonces se les veía juntos en los parques de la ciudad, en los museos, en el cine. Eran la familia emblemática de H. Las mujeres comenzaron a prender velas a los santos, a hacer promesas y a preparar conjuros para que sus maridos contrajeran la lengüitis. El caso más asombroso fue el de una adolescente que, después de una sesión amorosa en un hotel de paso, cortó la lengua a su novio, esperanzada en formar la familia funcional que nunca tuvo.

Si Juan Pablo Salazar había sido un prohombre, la fama de la lengua alcanzó dimensiones míticas. Era miembro honorario de todos los clubes de Ciudad H. Lograba acuerdos sin precedente entre sindicatos y corporaciones, mediaba conflictos, persuadía a diestra y siniestra y todo a punta de lengua, lengua, lengua.

Aprovechando que hablaba varios idiomas, el Presidente de la República de C nombró canciller a la lengua. Gracias a su gestión se logró la firma de importantes tratados, se resolvieron conflictos bélicos y los pobres del mundo se sintieron dignos escuchando sus discursos.

La lengua visitaba con cierta frecuencia las escuelas de Ciudad H y del resto de la República de C, con el propósito de propagar el mensaje esperanzador. Durante una de esas visitas una niña se le acercó con la intención de recitarle unos versos.

—Lulú, por favor no molestes a la honorable lengua —la reprendió una maestra e hizo un gesto que imploraba excusas por el atrevimiento.

—No se preocupe, los niños son nuestro futuro —la lengua la tranquilizó con el tono afectado que había adquirido en los últimos tiempos.

La maestra se sonrojó y permitió que la niña comenzara el poema.

—La libertad, la libertad —el silencio incómodo que siguió fue una cruel confirmación de que la niña no recordaba el poema.

—La libertad —insistió la niña, pero la memoria la siguió traicionando.

«Adiós poemita», pensó la niña y comenzó a entonar unas líneas menos pretenciosas.

—Pancha plancha con cuatro planchas, con cuántas planchas Pancha plancha —concluyó la niña desbordándose de satisfacción.

Mientras la niña recitaba, la lengua comenzó a transpirar, más bien a babear. Se apoderaron de ella unas convulsiones incontrolables y comenzó a dar unos alaridos espeluznantes. La principal de la escuela llamó una ambulancia que no tardó en recoger a la lengua. Los eficientes periodistas que cubrían la visita siguieron todo el trayecto de la ambulancia y sólo dejaron de reportar cuando el lenguólogo les cerró la puerta de la sala de operaciones en las narices.

El mundo entero se mantuvo a la expectativa las seis horas que duraron los esfuerzos por salvar a la lengua. Al concluir la intervención quirúrgica, el galeno informó a la prensa que la lengua había fallecido, víctima de una inusitada exposición a un trabalenguas. Así se enteraron en Ciudad H de la segunda muerte de Juan Pablo Salazar.

# El canto de las gaviotas

## I.

El día que cumplió sesenta y cinco años, Eugenia Feijó viuda de Sanz se preguntó si volvería a escuchar el canto de las gaviotas. Hacía exactamente cuarenta y dos años que había dejado su Caribe natal, con la certeza de no regresar jamás en esta vida. Sin embargo, su caprichosa memoria la había traicionado, devolviéndola a sus paseos por la playa, cada uno de los quince mil trescientos cuarenta días que la separaban de su fuga.

Esa mañana, mientras su sobrina la peinaba frente al espejo, recorrió con la mirada lo que hasta entonces había sido su entorno. Hizo inventario de los cuadros, de los muebles, de las esculturas y del resto de los objetos acumulados a través de una existencia cómoda, pero desprovista de sentido.

Volvió a sentir las mismas arcadas que la atormentaron el día de su boda, al ver a don Cayetano Sanz esperándola en el altar donde ella juraría serle fiel hasta la muerte. Su malestar debió trascender las fronteras del pensamiento, porque Adela se alarmó al verle el rictus transformado en una mueca desesperada.

—Tía, no se ponga así. Mire que tiene que estar hermosa para la fiesta de su cumpleaños —le dijo su sobrina, con el mismo tono condescendiente que utilizaba para tranquilizar a los niños y que Eugenia tanto detestaba.

Al principio la alimentaban como si fuera una niñita, a base de papillas. Más tarde sólo asimiló los sueros. Una vez más, Eugenia maldijo el cáncer que empezó por destruirle la garganta y luego se extendió por su cuerpo como un incendio incontenible.

Apenas reconoce a la mujer que le devuelve la mirada desde el espejo. Las facciones siguen siendo finas y la piel aún conserva su tersura de antaño, pero se le ha endurecido el semblante. Piensa que su existencia sería más llevadera si al menos pudiera hablar, escapar de sí misma aferrada a la voz con cada grito. La sobrina sigue revoloteando a su alrededor, enfrascada en un monólogo que Eugenia considera trivial, fatuo. No quiere oírla. ¡Que se calle, carajo!, grita sin que se le escuche la voz. La sobrina insiste en tranquilizarla con su simpatía acartonada.

Eugenia decide buscar refugio en sus recuerdos, como quien se sumerge voluntariamente en un trance catártico. Sólo le interesa revivir sus paseos costeros con Andrés: la brisa acariciándole el rostro; el salitre que se le cuela por la comisura de la boca, dejándole un gusto salado que preludia la proximidad de otros gustos (los que acompañan al amor); el canto de las gaviotas.

## II.

Hace una hora que se ha despertado, y Andrés Matienzo Mendoza aún no logra levantarse del colchón hediondo a orines, que se le adhiere al cuerpo como una segunda piel. En los últimos años ha adquirido la costumbre de trazar mapas, descubrir rostros y descifrar laberintos en el descascarado techo del cuartucho donde vive.

Hoy, sin embargo, Andrés ha soslayado su rutina, para tratar de entender por qué terminó siendo un despojo, por qué naufragó su vida, cuándo se convirtió en el paria que es hoy día. Su condición de único heredero de la importadora que fundó su abuelo le otorgaba un salvoconducto que le garantizaba acceso a los mejores clubes y a las más rancias familias. Pero aquí está. Viviendo el ostracismo de una lacra social.

Se esfuerza en creer que no sabe cómo terminó postrado en el cuartucho que renta a un pariente, que en los últimos años ha optado por ser lejano. Pero lo sabe. Sabe que la zozobra comenzó el mismo día que Eugenia Feijó le anunció que tenía que casarse con don Cayetano Sanz. Con todo, nunca fue capaz de odiarla. Su memoria también lo ha traicionado durante quince mil trescientos cuarenta días, y le ha devuelto los paseos que hacía con Eugenia por la playa.

Hoy recuerda su último paseo. Sólo el canto de las gaviotas los acompañaba aquella tarde. Eugenia parecía estar nerviosa. Caminaron en silencio mucho tiempo antes de que sus cuerpos se fundieran en una trenza que temblaba sobre la arena. Todavía estaban desnudos cuando Andrés comentó que el cielo estaba infestado de gaviotas.

—Por eso las oigo siempre que me besas —dijo Eugenia, mirando un punto impreciso en el horizonte.

—Entonces vas a oír ese canto hasta la muerte.

—¿Como será la muerte? —preguntó Eugenia. Andrés la notó asustada.

—Tranquilízate. Todo se oscurece, te sientes en paz y se oye el canto de las gaviotas para siempre.

Eugenia calló un instante.

—No puedo casarme contigo —dijo Eugenia y continuó comiéndose las uñas. Las preguntas de Andrés quedaron sin respuestas. Sus ruegos fueron fútiles. Los detalles, hace tiempo han dejado de importarle. Su única certeza es que Eugenia fue el génesis de su derrota.

III.

Esta mañana, ignorante de la carta que está próximo a recibir, Andrés ha decidido buscar a Eugenia para amarla de la única forma en que puede amar a sus sesenta y siete años. No con toda el alma, sino con lo que le queda de ésta.

Desde el colchón se percata de que alguien ha deslizado un sobre por debajo de la puerta. Intrigado lo recoge y se asegura de que la carta ha sido dirigida a él (no ha recibido una carta en treinta años). Aunque no reconoce el nombre del remitente –Adela Sanz– la carta si le pertenece.

*Estimado señor Matienzo:*

*Mi tía, Eugenia Feijó, está muy enferma y me ha pedido que le envíe el billete de avión que acompaña esta carta. Le escribo a la dirección de su primo Gonzalo porque no pude conseguir la suya. Confío en que él se la hará llegar a tiempo.*

*Aunque no entiendo el significado del mensaje, tía ha escrito que quiere oír el canto de las gaviotas una vez más. Esperando que se encuentre bien al recibir ésta, quedo.*

*Atentamente,*
*Adela Sanz*

## IV.

El viaje a España le pareció largo, pero caminar desde la recepción de la clínica hasta el cuarto de Eugenia le pareció un suplicio eterno. La habitación estaba al final de un pabellón frío, cuyas paredes y suelo blanco le daban la impresión de caminar entre las nubes. Un olor exageradamente antiséptico le revolvía el estómago. La mujer de mediana edad que le abrió la puerta se presentó como Adela y los dejó solos, cerrando la puerta tras de sí.

A pesar del escaso cabello y de los estragos causados por el cáncer, Andrés encontró en la cama a una mujer de veintitrés años. Eugenia vio entrar un Andrés de veinticinco. Ninguno de los dos se sorprendió. Más bien, les pareció el efecto natural de retomar la vida justo donde la habían dejado. Se hablaron con la mirada.

—Sabía que vendrías hoy.

—¿Qué quieres de mí? —le espetó Andrés, con desdén que Eugenia adivinó fingido.

—Lo sabes muy bien.

Andrés no pudo reprimir el llanto. Eugenia vio a Andrés acercarse y cerró los ojos. Cuando sintió la presión de la almohada sobre el rostro, sonrió, se sintió en paz, oscureció y volvió a escuchar el canto de las gaviotas.

# Travesía

Mutombo llevaba dos días encerrado en una galería oscura y pestilente. El agua que se filtraba a través de la madera del suelo le cubría los tobillos. Conocía algunos de los niños prisioneros; a otros ni siquiera los entendía, pero el pavor los hermanaba.

Una arcada le sacudió el estómago nuevamente. Parándose sobre las puntas de los pies logró asomarse a una pequeña claraboya en busca de aire fresco. Desde allí observó lo que ocurría en el nivel superior de la estructura.

Varios hombres peludos y de color extraño golpeaban a una joven que se defendía, gritaba, mordía, pateaba y arañaba. No pasó mucho tiempo antes de que lograran dominarla y tumbarla sobre el suelo. Mientras unos le sujetaban los brazos, otros le separaban las piernas. El más temible se bajó la extraña vestidura hasta las rodillas, se posó sobre la joven y comenzó a moverse a un ritmo desenfrenado que culminó en jadeos estremecedores. Los extraños se fueron turnando y el proceso se repitió sin variaciones perceptibles.

Mutombo no comprendió del todo lo que observó, pero intuyó que algo grave había sucedido, algo que mancillaba la existencia y exigió explicaciones al único dios que recordó en ese momento.

Cuando el último extraño terminó de jadear sobre la joven, ya no hacía falta sujetarla. La halaron por las piernas y la sacaron del campo de visión que permitía la claraboya. Un hombre aun más temible que los otros apareció y gritó algo.

—Capitán, cien negros son mucho dinero, quizás cuarenta sean suficiente —contestó uno de los marineros.

—Dije cien, carajo. Tiren cien. El barco sigue haciendo agua y hay que eliminar lastre —replicó el capitán molesto.

Mutombo no entendía portugués, pero en medio de tanto infortunio le pareció un idioma hermoso.

# Historia de un indeciso

Si algún día me decido a contar mi historia, creo que situaré el origen de mis desazones en el momento en que mis padres acordaron que yo mismo escogería mi nombre. Este curso de acción tan destemplado, tuvo un resultado opuesto al que anticipaban. Así, lejos de convertirme en un ciudadano decidido, con aplomo y criterio independiente, terminé siendo un acopio de inseguridades, un navío, cuya brújula mal calibrada le dictaba un rumbo errático a través del caos.

Como no tenía nombre, mis padres y demás familiares me apodaban según el capricho de cada cual. Lo que a unos agradaba a otros incomodaba. Si mi tío me llamaba "cachorro", mi madre molesta le pedía que no llamara así a su "rey". Si mi tía me decía "ven, querubín", mi padre insistía en que no le hiciera caso hasta que me llamara "campeón". Yo me detenía a la mitad del trayecto y los miraba a ambos implorando explicaciones que nunca llegaban. De este modo, transcurría el tiempo sin que yo supiera cuándo se referían a mí o a quién debía responder. En fin, esos primeros años estuve rodeado por una nebulosa pusilánime de la que aún no he podido escapar, creo.

El día que cumplí diez años, mi padre me levantó más temprano de lo usual y con voz solemne me anunció que ya tenía edad para decidir mi nombre. Recuerdo el orgullo que matizaba su voz cuando dijo que, contrario a los demás niños, yo tendría un nombre decidido por mí, que sería de mi entero agrado.

—Déjame pensarlo unos días —le dije, incómodo ante la proximidad de una decisión.

—Has tenido diez años para pensarlo —reclamó mi padre con un asomo de frustración.

Pasaron seis meses y aún me debatía entre varios nombres (la lista inicial se había reducido a veintiocho). Mi padre, desesperado, me concedió un término perentorio para decidirme. Por esos días, nos hablaron de distintas religiones en el curso de Geografía. Dos personajes me impresionaron por su determinación y arrojo, cualidades que yo no tenía, pero que esperaba conseguir por asociación patronímica. Fiel a mi naturaleza, no pude escoger entre los dos nombres.

Mi madre se emocionó cuando le dije que me había decidido por un nombre compuesto. Si mi mejor amigo se llamaba Luis Gabriel, yo podía llamarme Cristo Confucio. No sé si mis padres aprobaron la selección por lealtad a la decisión que habían tomado hacía ya una década (y seis meses) o porque la espera los había agotado. Lo cierto es que esa noche me fui a la cama albergando la esperanza de no volver a vacilar en toda mi existencia. Antes de dormirme decidí que anunciaría mi nombre a toda la clase, parado frente al pizarrón. Esa fue la única decisión que tomé sin rodeos en la vida que estoy próximo a concluir.

Mi destino terminó de perfilarse la mañana en que proclamé al mundo (más bien a mi mundo) que mi nombre libre y voluntariamente decidido era Cristo Confucio Hernández.

No creo que sea necesario describir las consecuencias que puede tener en la vida de un niño de diez años llamarse Cristo Confucio Hernández. De esta forma me convertí en el objeto de las burlas de mis compañeros y en el ser más indeciso sobre la faz de la Tierra, creo.

El temor a errar una vez más, me ha impedido desde entonces manifestar mi voluntad. La incertidumbre comenzó a colarse por todos los resquicios de mi pensamiento y a macular todos los renglones de mi existencia. Cada decisión, por más inconsecuente que fuera su naturaleza, se convertía en un dilema. Me era imposible seleccionar el color de mi ropa y comencé a vestir de negro, siempre de negro. Aunque a veces pensé hacerlo de blanco. En una ocasión anduve unas cuantas semanas con el rostro asimétrico, porque luego de comenzar a rasurarme el bigote me arrepentí de hacerlo.

Cursaba el décimo grado. Una compañera (no muy linda, no muy fea) se me acercó después de clases. Con una sonrisa pícara comenzó a arrancar los pétalos de una flor y al mismo tiempo repetía "te quiero; no te quiero; te quiero". La sensación que sentí en aquel momento, es lo más cercano que he estado del éxtasis. Cuando ya no quedaban pétalos, me miró fijo a los ojos. Creo que esperaba que hiciera algo. Recogí otra flor y se la entregué indicándole que repitiera la rutina. Con esperanzas renovadas, comenzó otra vez "te quiero; no te quiero; te quiero". Terminó y le entregué otra flor. No sé si ya le había entregado una docena cuando dio media vuelta y se fue sin aceptar la nueva flor que le ofrecía. El caso es que el placer que yo derivaba de aquel ritual de indecisión ella no lo compartía, me parece.

El único viaje que hice fue a Europa (un regalo de graduación que me pareció inoportuno). Estando en París, en compañía de Luis Gabriel, entré a una panadería contigua a nuestro hotel, que tenía una selección muy variada de quesos. No estaba seguro de que me gustara el queso, pero quise llevar uno a la excursión que teníamos programada. Por unos minutos, los huequitos de algunos de aquellos lácteos llamaron mi atención, pero luego las vaquitas que había dibujadas en los paquetes de otros me parecieron más interesantes y, tiempo después, comprendí que los envueltos en hojas me atraían más. Luis Gabriel trató de sacarme del trance, pero no lo logró. Yo no era capaz de decidirme y optó por irse solo a la excursión. Cuando llegó de Versalles, me encontró frente a la nevera de los quesos mirando ahora los que tenían hongo. El dueño de la panadería le relató, entre molesto y preocupado, que había pasado el día entero así, tratando de decidirme por alguno de los quesos. Lo primero que dije una vez lograron sacarme de allí fue "creo que llevaré jamón".

Aunque mi madre falleció debido a un padecimiento cardíaco que la aquejó por mucho tiempo, no pude evitar sentirme un poco responsable de su muerte. Fue el año que cumplí los cuarenta. Mi padre había salido. Mamá y yo jugábamos baraja. De repente, sufrió un acceso de tos, que culminó en lo que identifiqué como un infarto. Los ojos se le brotaron de las cuencas. Se veía desesperada y señalaba un par de pomos. Yo era consciente de que en caso de emergencia debía colocarle una pastilla debajo de la lengua, pero no lograba decidir cuál suministrarle. Leí las indicaciones adheridas a los frascos. Inspeccioné las pastillas, evalué los tamaños y consideré sus colores. Con la desesperación de mamá crecía la mía y la decisión se tornó cada vez más ardua. Cuando resolví darle una pastilla de cada envase, ya era tarde. Sus ojos aún abiertos quedaron fijos en mí. Parecía que me acusaba de algo.

Por esa misma época comencé a tener un sueño recurrente: *Un gladiador romano acababa de vencer a su contrincante y esperaba ansioso que se decidiera la salvación o la condena de su oponente. La mitad de los espectadores exigía la condena del luchador vencido, señalando hacia el suelo con el dedo pulgar. La otra mitad pedía su salvación señalando hacia el cielo con el mismo dedo. Sólo yo, con*

31

*mi voto, podía romper aquel balance exacto. La multitud demandaba mi decisión. Mi voluntad se balanceaba entre la curiosidad morbosa que todos albergamos, pero tratamos de ignorar, y los escrúpulos éticos que tan pesada carga imponen sobre nuestro porvenir. Incapaz de continuar esperando por mi decisión, la masa embrutecida me lanzaba a la arena del coliseo. El gladiador triunfante corría hacia mí, me pisaba el pecho y dirigía la mirada hacia el gladiador vencido, que a la sazón se desprendía de su máscara y descubría un rostro que era el mío.*

En su lecho de muerte, mi padre aceptó que cometió un error cuando decidió que yo debía escoger mi nombre. Me confesó que, tanto él como mi madre, habían consumido demasiado LSD durante su adolescencia y me pidió que los perdonara. Creo que se sentía responsable de la cadena de embates y desaciertos que era el balance de mi vida.

Papá no dejó constancia de su preferencia y me tocó a mí decidir si sus restos se incineraban o si se enterraban junto a los de mi madre. Nunca me aventuré y el cadáver permaneció en la morgue. Al principio me llegaban notificaciones semanales del Instituto de Ciencias Forenses, indicándome que debía reclamar el cuerpo, pero no me decidía. Más tarde, las notificaciones fueron mensuales y luego cesaron del todo.

Estos pensamientos me han acordado que mis días también están a punto de expirar. Cuando me diagnosticaron cáncer hace un año, aún se podía tratar.

"Todavía es contenible" dijo el médico; me explicó los horrores del tratamiento y me dio un par de días para decidir si lo comenzaba. Aún lo estoy ponderando. El dolor que comienzo a sentir es un elemento que debería considerar, creo que empezaré a tratarme.

Parece irónico, pero en la antesala de la muerte, me he percatado de que es la única certeza que percibí en la vida. En la próxima, si es que hay otra, viviré con determinación. Estoy seguro de que así será. Bueno, tal vez. Quizás.

# El regalo

Madre, tu rostro conserva la misma dureza que tuvo en vida. En pocas horas cerraran el féretro y ya no tendré oportunidad de contarte cuánto te odié la tarde que me regalaste aquel muñeco. Fue justo el día que les dije a Jacobo y a David que no podían venir a mi fiesta. Creo que me quisiste, pero no siempre te entendí.

¿Recuerdas que a papá lo trasladaron a Buenos Aires, a principios del año en que cumplí los ocho? Jacobo y David fueron los primeros niños que conocí en el colegio. Te pusiste contentísima cuando regresé a casa el primer día de clases y conté que ya tenía dos amigos.

Nos hicimos inseparables.

En el recreo jugábamos fútbol, después de clases nadábamos, apedreábamos perros realengos, inventábamos historias de horror. Jacobo perdió un diente defendiéndome del acoso de un estudiante de quinto grado y ese día sellamos un pacto de amistad incondicional.

Andabas eufórica organizando mi fiesta de cumpleaños. Querías conocer los padres de todos mis amigos, en especial los de Jacobo y David. Preparabas las invitaciones y preguntaste sus apellidos. Nachman y Goldman, te dije distraído. El rostro se te encarnó y comenzaron a temblarte los párpados.

Recuerdo la angustia que me causó lo que me pediste, más bien me ordenaste. Jacobo y David ya no eran bienvenidos a la fiesta. Tenía que decirles que no vinieran.

—Son judíos, crucificaron a Cristo —fue tu única explicación.

—¿Cómo sabes que son judíos? —te pregunté desesperado, confundido por tu comportamiento.

—Todos los apellidos que terminan en "man" son judíos. Silverman, Guttman, Schuman, evítalos a todos —ordenaste.

Me preguntaste cada tarde si ya les había avisado y cada tarde contesté que no me había atrevido. El día que logré reunir el valor para ofenderlos, me premiaste con un muñeco vestido con pijamas y una capa ridícula. Nunca supiste cuánto me costó entender que Súperman no era un súper judío.

# Gaysha

Descendiente de una dinastía de campeones, Kaio estaba condenado al éxito, a convertirse en un gran campeón de sumo, pero descubrió su verdadera vocación en la casona donde los aprendices entrenaban y vivían en comunidad.

Los jóvenes rikishi debían levantarse con el alba a limpiar la sumobeya y a cocinar monumentales cantidades de comida para los luchadores más experimentados, que se levantaban luego y comían antes que ellos, de acuerdo con un estricto orden jerárquico. El entrenamiento marcial comenzaba a media mañana, se prolongaba seis horas y concluía con brutales luchas sobre el dohyo. En la noche, los rikishi entretenían a los luchadores investidos con el rango de sekitori, cantando, tocando instrumentos musicales, recitando o actuando. Los demás aspirantes detestaban estos deberes y soñaban con poder dedicarse sólo a los combates. Kaio los desempeñaba con devoción. Que sus creaciones culinarias agradaran el paladar de sus superiores, que le solicitaran recitar un verso o cantar alguna canción sublime, le producía un placer casi místico.

Más que un deporte, el sumo era una forma de vida, en la que el respeto se ganaba a diario dentro y fuera del dohyo. A pesar de la solemnidad requerida en la sumobeya, los demás rikishi se burlaban del esmero con que Kaio entretenía a los sekitori y del tiempo que empleaba en arreglarse el peinado. Le trocaban el mawashi por prendas íntimas femeninas antes de las luchas de fogueo y se mofaban del tamaño y de la consistencia de sus pechos.

Kaio se desentendía de las bromas de sus compañeros y se esforzaba en ser el contendiente más efectivo sobre el dohyo. Venció a sus oponentes en cada uno de los combates de fogueo que libró y fue el único rikishi seleccionado para participar en el gran torneo de Osaka junto con los sekitori de la sumobeya.

Lejos de ganarle el respeto de sus compañeros, la distinción le granjeó el rencor y la envidia de los luchadores, que no entendían cómo Kaio, a quien consideraban afeminado, podía ser al mismo tiempo un adversario insuperable. El éxito sobre el dohyo no lo apartó de sus deberes en la sumobeya. Por el contrario, cada noche procuraba cantar con más intensidad, recitar con más efusión, tocar los instrumentos con más entrega. Se le veía en la cocina, preparando platos exquisitos, envuelto en nubes de vapor, cantando, feliz de complacer a otros.

—Te destruiré en Osaka —le advirtió Akira,

el sekitori más diestro de la sumobeya, una ocasión en que se toparon en un pasillo. Kaio hizo una leve inclinación con la cabeza y le dirigió una mirada noble, que prometía un combate digno, pero feroz.

Solo, en su cuarto de la sumobeya, Kaio se desvelaba cada noche pensando que pronto tendría que tomar una decisión que podía cambiar el rumbo que hasta entonces había seguido su vida. Consideró huir, renunciar a su entorno, pero descartó la idea. Se había acostumbrado al éxito y perseguía la fama con la osadía de quien no conoce sus frutos.

La mañana en que comenzó el Torneo de Osaka, Kaio amaneció tranquilo. Se preparó con calma para los combates que debía librar. Se ajustó bien el mawashi, se vendó las muñecas y se recogió el cabello en un moño confeccionado con delicadeza.

Los vítores de los fanáticos que invadieron el estadio de Osaka sobrecogieron a Kaio en su lance inicial, pero pronto se recuperó y venció a todos sus rivales. Enfrentaría a Akira en el combate final del torneo.

Del otro lado del dohyo, su contrincante lo miraba con una hostilidad que él no lograba reciprocar. Buscó apoyo en las miradas de su padre y de sus tíos, que observaban el combate desde las primeras gradas. Lo encontró en la de su madre, que lo observaba desde un punto más retirado.

La señal de ataque emitida por el árbitro, dio inicio a colosales choques de barrigas, a violentos empujones y a furiosas embestidas, que favorecieron a un nuevo campeón: Kaio.

De acuerdo con la tradición de los púgiles, Akira dedicó una respetuosa venia al vencedor y quedó a la espera del saludo de Kaio. Luego de unos segundos de incómodo silencio, Kaio se postró sobre el dohyo y ejecutó una sumisa reverencia de geisha. En medio del asombro, de los silbidos, del escarnio generalizado y de la censura colectiva, sólo la madre se permitió una sonrisa imperceptible, para celebrar la felicidad de una hija que recién nacía.

# Kaio

Descendiente de una dinastía de campeones, Kaio estaba condenado al éxito, a convertirse en un gran campeón de sumo, pero descubrió su verdadera vocación en la casona donde los aprendices entrenaban y vivían en comunidad.

Los jóvenes rikishi debían levantarse con el alba a limpiar la sumobeya y a cocinar monumentales cantidades de comida para los luchadores más experimentados, que se levantaban luego y comían antes que ellos, de acuerdo con un estricto orden jerárquico. El entrenamiento marcial comenzaba a media mañana, se prolongaba seis horas y concluía con brutales luchas sobre el dohyo. En la noche, los rikishi entretenían a los luchadores investidos con el rango de sekitori, cantando, tocando instrumentos musicales, recitando o actuando. Los demás aspirantes detestaban estos deberes y soñaban con poder dedicarse sólo a los combates. Kaio los desempeñaba con devoción. Que sus creaciones culinarias agradaran el paladar de sus superiores, que le solicitaran recitar un verso o cantar alguna canción sublime, le producía un placer casi místico.

Más que un deporte, el sumo era una forma de vida, en la que el respeto se ganaba a diario dentro y fuera del dohyo. A pesar de la solemnidad requerida en la sumobeya, los demás rikishi se burlaban del esmero con que Kaio entretenía a los sekitori y del tiempo que empleaba en arreglarse el peinado. Le trocaban el mawashi por prendas íntimas femeninas antes de las luchas de fogueo y se mofaban del tamaño y de la consistencia de sus pechos.

Kaio se desentendía de las bromas de las que era objeto por sus colegas y se esforzaba en ser el contendiente más efectivo sobre el dohyo. Venció a sus oponentes en cada uno de los combates de fogueo que libró y fue el único rikishi seleccionado para participar en el gran torneo de Osaka junto con los sekitori de la sumobeya.

Lejos de ganarle el respeto de sus compañeros, la distinción le granjeó el rencor y la envidia de los luchadores, que no entendían cómo Kaio, a quien consideraban afeminado, podía ser al mismo tiempo un adversario insuperable. El éxito sobre el dohyo no lo apartó de sus deberes en la sumobeya. Por el contrario, cada noche procuraba cantar con más intensidad, recitar con más efusión, tocar los instrumentos con más entrega. Se le veía en la cocina, preparando platos exquisitos, envuelto en nubes de vapor, cantando, feliz de complacer a otros.

—Te destruiré en Osaka —le advirtió Akira,

el sekitori más diestro de la sumobeya, una ocasión en que se toparon en un pasillo. Kaio hizo una leve inclinación con la cabeza y le dirigió una mirada noble, que prometía un combate digno, pero feroz.

Solo, en su cuarto de la sumobeya, Kaio se desvelaba cada noche pensando que pronto tendría que tomar una decisión que podía cambiar el rumbo que hasta entonces había seguido su vida. Consideró huir, renunciar a su entorno, pero descartó la idea. Se había acostumbrado al éxito y perseguía la fama con la osadía de quien no conoce sus frutos.

La mañana en que comenzó el Torneo de Osaka, Kaio amaneció tranquilo. Se preparó con calma para los combates que debía librar. Se ajustó bien el mawashi, se vendó las muñecas y se recogió el cabello en un moño confeccionado con delicadeza.

Los vítores de los fanáticos que invadieron el estadio de Osaka sobrecogieron a Kaio en su lance inicial, pero pronto se recuperó y venció a todos sus rivales. Enfrentaría a Akira en el combate final del torneo.

Del otro lado del dohyo, su contrincante lo miraba con una hostilidad que él no lograba reciprocar. Buscó apoyo en las miradas de su padre y de sus tíos, que observaban el combate desde las primeras gradas. Lo encontró en la de su madre, que lo observaba desde un punto más retirado.

La señal de ataque emitida por el árbitro, dio inicio a colosales choques de barrigas, violentos em-

43

pujones y furiosas embestidas, que favorecieron a un nuevo campeón: Kaio.

De acuerdo con la tradición de los púgiles, Akira dedicó una respetuosa venia al vencedor y quedó a la espera del saludo de Kaio. Durante unos segundos de incómodo silencio, Kaio consideró postrarse sobre el dohyo y ejecutar una sumisa reverencia de geisha. Desistió de la idea. Temió al escarnio y a la censura colectiva. En cambio, saludó a Akira, dirigiéndole una mirada que esa vez prometía algo más que un feroz combate, y se dejó arrullar por la ovación y el aplauso del público.

# La confesión de Rosario

Entré por primera vez en la Catedral de Toledo a los veintidós años y hoy, a los sesenta y cuatro, recuerdo cada detalle de la confesión de Rosario. El olor a incienso, combinado con el frío húmedo de la bóveda, acentuaba la solemnidad del recinto. Vagué en silencio unos minutos y, justo cuando mi vista se adaptó a la falta de luz, me arrodillé para rezar bajo la mirada atormentada de unos mártires. Escuché unas voces provenientes de un confesionario en el que no había reparado hasta entonces.

—Ave María Purísima —susurraron en un tono condescendiente.

—Sin pecado concebida —respondió una voz femenina, de un modo mecánico.

—Rosario, hija, hace meses que no... que no vienes a misa —reprochó una voz nerviosa.

—Eloy, no me llames hija. Ya sabes cuánto me molesta que te distancies así —continuó Rosario con amargura.

Quise irme, pero temí ser descubierto. Decidí refugiarme en la oscuridad. Callé. El crepitar de los cirios me incomodaba. Desde los vitrales, los santos me observaban con su mirada acusadora y el incienso seguía impregnando cada rincón de la nave. Pasé revista al clavicordio. Tuve la impresión de que escuchaba un réquiem.

—Pensé que fui claro contigo... mis votos, Rosario...

—Sí muy claro, pero no podemos cambiar lo que pasó.

—Sí podemos. ¿No has hecho lo que acordamos? ¿No lo has hecho?

—Sí. Sí lo hice. No tienes por qué preocuparte.

—¿Entonces has venido a confesarte? ¿A eso has venido? —se tranquilizó el párroco.

—Sí, padre.

—¿Sabes que tu pecado es grave, hija?

—Lo sé.

—Reza cincuenta Padrenuestros, quince Avemarías y no vuelvas por aquí.

—Así lo haré.

—Ve en paz, hija, que tus pecados han sido perdonados en el nombre del Padre, del... del hijo y del Espíritu Santo

—Amén.

Del confesionario salió una mujer, cuya mal disimulada redondez se recortó contra la tenue luz de los cirios, me dedicó una mirada piadosa y salió de la Catedral de Toledo sin mirar atrás.

# La esposa del capitán Jones

*I am an American soldier…*
*I will always place the mission first…*
"Soldier's Creed"

A Clarisse no le agradó la noticia del traslado del teniente Samuel Jones al Fuerte Bliss. Vivir en una base militar en Texas le parecía lo más cercano a expiar una condena en el tercer mundo. Estaba acostumbrada a los destinos exóticos que le habían asignado a su esposo en los últimos años. Jones se lo comunicó en un tono cordial, pero firme. Debía reportarse a sus nuevos superiores el primero de junio.

Las gotitas de sudor que le brotaban a Jones de la nariz en momentos de tensión, y que Clarisse tanto detestaba, aparecieron puntuales.

—Me voy a morir de aburrimiento —reclamó Clarisse a su esposo. Al menos solicita reconsideración de la orden.

—Un buen soldado no pide que las órdenes se reconsideren, las obedece. Pronto me ascenderán a capitán y no puedo contrariar a mis superiores.

Al teniente Jones no lo disuadieron los ruegos ni

las recriminaciones de su mujer. Que Clarisse hubiese crecido en Nueva Inglaterra, ajena a la realidad de los ignorantes del sur, o que se hubiese casado con él en contra de la voluntad de sus padres, no le parecieron a Jones razones suficientes para cuestionar la autoridad. El veintiséis de mayo de mil novecientos noventa y dos el matrimonio llegó al Fuerte Bliss.

Desde la ventana del carro que alquilaron en el aeropuerto, Clarisse comenzó a confirmar la idea que se había forjado del lugar. El camino al fuerte le pareció una monótona sucesión del mismo paisaje; una interminable llanura a ambos lados de la carretera. Tenía la impresión de que no avanzaban. Habló muy poco. De vez en cuando una camioneta los rebasaba y se perdía de vista poco después.

Cuando por fin llegaron al Fuerte Bliss, Clarisse sólo quería ducharse, acostarse y despertar justo a tiempo para emprender el viaje de regreso; pero no fue así. El capitán a quien Jones debía reemplazar, otro teniente y sus respectivas esposas los esperaban para mostrarles las instalaciones, el club de oficiales y la casa donde establecerían su residencia durante los próximos dos años. El teniente Jones y los otros militares hablaban muy animados, como amigos que no se habían visto en mucho tiempo. La conversación entre Clarisse y las esposas (unas mujercitas que le parecieron estúpidas) fue torpe e incómoda.

La primera semana el teniente Jones trabajó mucho. Salía muy temprano y regresaba en la noche.

Encontraba a su esposa llorando en la cama, de donde no se había levantado en mucho tiempo.

—Ve a la piscina, siempre te gustó nadar. Las esposas de los demás oficiales juegan cartas y almuerzan juntas todos los días en el club, diviértete con ellas —le sugirió el teniente Jones para tratar de animarla.

Sólo la noticia de que pronto les llegaría el piano pudo alegrarla un poco. Inclinarse sobre el teclado y arrancarle notas como si fueran confesiones había sido su pasión desde niña.

Cuando Jones le anunció que lo habían ascendido, Clarisse se alegró genuinamente, pero la celebración fue discreta. El nuevo capitán debía partir a Washington muy temprano la mañana siguiente.

—La esposa del teniente Simmons quiere tomar lecciones de piano. Le he dicho que tú se las darás con mucho gusto. Se llama Heather. Creo que vendrá mañana a conocerte —advirtió Jones a su esposa cuando se acostaron, dio media vuelta y se durmió.

Clarisse no pudo dormir. Había resuelto no socializar con nadie. Le molestaba que Jones la hubiese comprometido sin consultarla antes, pero no quiso discutir con él. Pasó la noche imaginándose una Heather ignorante y simple.

Aunque seguía molesta con su esposo, Clarisse se despidió con un beso y le deseó buen viaje. Se bañó y se acicaló con esmero. Había decidido que, en vez de lecciones de piano, le enseñaría a Heather lo que era una mujer sofisticada y con clase. Esperaba

49

intimidarla lo suficiente como para que descartara la ridícula idea.

La frescura de Heather desarmó a Clarisse de inmediato. No trajo con ella galletas para el té, pastas secas o una conversación trivial. Sorprendió a Clarisse con una botella de buen vino que, según contó más tarde, conservaba desde el tiempo en que ella y su esposo estuvieron destacados en Italia. Conversaron varias horas antes de que Clarisse recordara las lecciones de piano.

—¿Entonces quieres aprender a tocar piano? —preguntó Clarisse y tuvo la sensación de haber roto una especie de hechizo.

—Las lecciones fueron una excusa para conocerte. Me aburro tanto con las demás esposas de los oficiales… —respondió Heather ruborizada, mientras se acomodaba el peinado con una mano nerviosa.

El vino animó la conversación. Hablaban en un tono cadencioso. Ninguna de las dos volvió a mencionar las lecciones de piano y cuando Heather se despidió, ambas tenían la certeza de haber sellado un pacto.

Clarisse continuó negándose a socializar hasta el final de su estadía en el fuerte. Si se topaba con algún conocido, forzaba un saludo escueto y apuraba el paso. Si había alguna fiesta, se excusaba. Las lecciones que impartió a Heather tres veces por semana fueron su única distracción. Por eso, cuando el capitán Jones la vio llorar desconsolada el día que se despidieron de los demás oficiales y de sus esposas, pensó que lloraba lágrimas de cocodrilo. Todos en el Fuerte Bliss sabían que eran lágrimas de amor.

# La confesión de Carlitos

Ave María Purísima —oyó decir al padre Eloy, en un tono condescendiente, desde el otro lado del panel agujereado.

—Sin pecado concebida —respondió Carlitos Truebas, del mismo modo mecánico que había respondido desde que hizo la primera comunión el verano anterior.

—Cuéntame tus pecados —el tono del padre Eloy, que reconoció la voz del estudiante, adquirió una severidad repentina.

—Son... son muchos, padre Eloy —comenzó a confesar el muchacho delatando una incomodidad inusual.

—Son muchos y te avergüenza contarlos —más que una pregunta, el padre Eloy acusaba.

—Así es —concedió Carlitos.

—¿Quieres que te ayude? —ofreció el clérigo, esbozando una sonrisa triunfal.

—Sí, por favor —aceptó Carlos.

—Sé que peleaste con Ángel Valverde ayer, los he visto. Por lo tanto, no has amado a tu prójimo como a ti mismo.

—Así es —asintió Carlitos, mientras abría el costal que tenía entre las piernas.

—Estoy seguro que le has deseado el mal, que has tenido malos pensamientos hacia él.

—Sí —admitió Carlos, el mismo instante en que los dedos de la mano que tenía dentro del costal encontraron los párpados de Ángel Valverde y los cerró para siempre.

—¿Te arrepientes?

—Me arrepiento.

—¿Volverás a pelearte con él?

—No podría.

—¿Y qué hay de los malos pensamientos hacia tu compañero?

—Tampoco volveré a tenerlos.

—¿Estás seguro?

—Tan seguro como lo estoy de la resurrección de nuestro Señor.

—He visto cómo lo molestas, no lo hagas más, hijo. Dale paz a tu compañero.

—Se la he dado, padre.

—¿No me mientes?

—No, padre, no le miento.

—Como acto de contrición, cuando lo veas míralo a los ojos y abrázalo.

—Así lo haré, padre, no lo dude —concedió Carlitos, al tiempo que se aferraba con más fuerza al costal.

—Por otros pecados no preguntaré. A tu tierna edad no se tienen, hijo.

—Como usted diga, padre.

—Entonces ve en paz y reza dos padres nuestros para que el Señor perdone tus pecadillos.

—Sí, padre.

—Yo absuelvo tus pecados en el nombre del Padre, del Hijo y del Espíritu Santo.

—Amén.

# Rata

Lo vimos por primera vez en nuestro barrio una tarde de verano, mientras jugábamos fútbol. Primero nos observó desde lejos, oculto detrás de un basurero. Asomaba la cabeza y nos miraba cuando nuestros gritos le indicaban la proximidad de una jugada interesante. Luego se fue acercando al terreno que nos servía de cancha con movimientos vacilantes, tanteando, como si sopesara el peligro que suponía cada paso.

—Pareces una rata —le espetó Luis Javier Rebolledo, cuando lo tuvo cerca.

Era verdad. El pelo grasoso y los dientes inusualmente afilados le daban un aspecto ratonil. De la camisa sucia y de los pantalones raídos salían unas extremidades cortas, que no guardaban proporción con su abultado torso.

La lluvia de la mañana había formado charcos en el suelo de barro. Gabriel Espasas, que siempre hacía coro a las fanfarrias de Rebolledo, le mandó (un poco en broma, un poco en serio) que se tirara a uno de los charcos y se revolcara en el fango como una rata almizclera. A todos nos asombró la determinación con que cumplió la descabellada sugerencia de Gabriel. Reíamos y le gritábamos rata, rata, rata. Mi risa se columpiaba entre la fascinación que siempre me ha provocado el morbo y la vergüenza que me producía ver aquel desgraciado en una situación tan absurda. Él también reía mientras giraba el cuerpo sobre el lodo. Dos hilillos de moco manaban de su nariz. En su mirada febril se adivinaba la satisfacción de poder complacernos. Desde entonces, rata (no recuerdo si alguna vez supe su verdadero nombre) acompañó nuestra pandilla como un satélite distante, a quien sólo recordábamos cuando éramos presa del ocio perverso o queríamos descargar sobre él nuestro mal humor.

Concluido el verano, rata se presentó en mi escuela el día que comencé a cursar el sexto grado. Llegó a la hora del recreo arrastrado por su madre, una mujer bastante joven, a quien la huella inconfundible del cansancio le opacaba la mirada. Fue la única vez que la vi. Lo dejó frente al portón y regresó sobre sus pasos sin cruzar palabra con él.

Dirigió una mirada insegura al grupo y, tan pronto reparó en mí, esbozó una sonrisa dócil y se me acercó. No quería que me asociaran con él y sólo se me ocurrió lanzar un escupitajo al suelo y ordenar: "rata cómete eso". Aunque había visto a Rebolledo y a otros niños exigirle que cometiera un sinnúmero de atrocidades degradantes, que él cumplía cabal para justificar su presencia, siempre me abstuve de martirizarlo. Esa vez, mi inseguridad pudo más que mi altruismo y una vez más observé estupefacto cómo rata se hincaba y lamía del suelo el salivazo. Desde entonces le conocieron como rata en la escuela y no hubo charco en el que dejara de revolcarse.

Nunca tenía un centavo. Las sobras de los demás eran su almuerzo habitual y sospecho que no siempre las recogió de las mesas. Estas costumbres, su olor rancio y su falta de higiene fraguaron su identidad. En una ocasión desaparecieron todos los ratones del laboratorio de biología y no pudimos llevar a cabo el experimento previsto en el currículo del curso. Una de las alumnas más aplicadas reveló que había visto a rata salir del laboratorio portando una caja media hora antes. Todos seguimos al profesor en su búsqueda de rata. La pesquisa culminó en el baño. Desde uno de los cubículos excusados se escuchaban unos sollozos. El profesor abrió la puerta de una patada y ante nosotros quedó la imagen de rata, tendido en el piso, llorando, mientras una docena de ratones blancos se paseaba por su cabeza, sus hombros y sus manos. Recuerdo que uno se le asomaba por el cuello de la camisa. Fue la única vez que lo compadecí.

Con el tiempo las crueldades a las que lo sometíamos disminuyeron. Nuevos intereses nos tomaron por asalto alrededor de los catorce años (siendo las novias el más apremiante) y rata pasó a ser una cara más que veía en la escuela y en el vecindario. Abandonó los estudios al finalizar décimo grado. Le veía cada vez menos por el barrio y no puedo precisar en qué momento despareció por completo de nuestro entorno. Una vez escuché que vivía en otra ciudad, enclaustrado en el ático de una casa de alquiler.

Una beca deportiva y múltiples sacrificios de mis padres me permitieron seguir una carrera universitaria y convertirme en un profesional de cierto prestigio en la ciudad donde vivo. Casi no he visitado mi país en los últimos tiempos. Algunas veces, mientras recorro el trayecto de la estación del tren hasta mi casa bajo la lluvia, veo mi rostro reflejarse en los charcos del pavimento. Es el reflejo de un hombre de cincuenta años, que en esos momentos no puede evitar preguntarse: qué sería de rata.

# La noche en el ático

El agua seguía anegando la casa de Sofía, engulléndolo todo sin piedad. La idea de tener que pasar la noche en el ático la espantaba. Se había lanzado en paracaídas, practicaba submarinismo y sus padres la habían llevado a dos safaris antes de cumplir los quince años, pero la escalera que subía al ático se convirtió en un obstáculo infranqueable desde que Jane quedó encerrada allá arriba y le contó del inoportuno huésped.

Debió hacer caso a los avisos de las autoridades y a los ruegos de su madre e irse a otra ciudad, igual que Jane, su compañera de estudios. Ahora se arrepentía y se recriminaba su obsesión por probarle al mundo tantas cosas, por librar tantas batallas estériles.

Su mundito se había desplomado en pocas horas, pero tenía la impresión de que habían pasado meses desde que escuchó el aviso de huracán en los telediarios. Fue entonces cuando Jane empacó y le rogó que se fueran juntas. "Pobre Jane," pensó, y se permitió una sonrisa. Nunca se le ocurrió que podría extrañar a la gringa. Aún no le había confesado que fue a ella a quien se le ocurrió la broma del encierro en el ático. Cuando Sofía la liberó, Jane le contó que vio una rata del tamaño de un niño pasearse por el ático, curioseando entre cajas y restos de existencias anteriores, como un señor que hacía inventario de su feudo.

—Quizás fue ella quien hizo desaparecer a la inquilina anterior y a su novio —bromeó Jane, aliviada de haber sido liberada. Ambas rieron, pero Sofía no volvió a subir al ático.

Tan pronto comenzó el huracán, Sofía se refugió en el sótano. Pensó que sería el lugar más seguro. Además, era el área más apartada del ático y de la rata-niño. Sólo llevó una linterna, su inseparable celular y las pocas provisiones que le dejó Jane.

Los árboles del patio golpeaban las ventanas, como si pidieran refugio, o como si la oscuridad que lo envolvió todo cuando desapareció la electricidad los asustara. Sofía mantuvo la linterna apagada y se entretuvo escuchando el crujir orgánico de la madera y tratando de adivinar lo que iba arrancando el viento en los alrededores.

Su situación le dio la excusa perfecta para empezar a fumar otra vez. Recordó que Jane guardaba varias cajetillas en la despensa. Se disponía a subir a la cocina cuando las escaleras al sótano se convirtieron en una catarata. Tuvo que agarrarse del pasamano para no caer. Con mucha dificultad logró llegar al primer nivel de la casa. El sótano se inundó enseguida. No tuvo tiempo de rescatar el celular ni la comida.

Tampoco comprendía de dónde había salido tanta agua. La lluvia no cesaba, pero no podía ser la causa de una inundación tan colosal. La ruptura del dique era una posibilidad que descartó en aquel momento.

El agua seguía entrando por las ventanas, por debajo de las puertas y por lugares insospechados. Aquí y allá flotaban muebles y libros, zapatos y fotografías. Nada de esto le preocupaba tanto como los pasos que escuchaba en el ático. Tenían el ritmo inconfundible de un animal desesperado. Comenzó a sentir hambre cuando el agua en el primer nivel le llegaba a la cintura.

Agua, agua por todas partes y la hambrienta Sofía ya estaba a mitad de la escalera que conducía al ático. Los pasos de la rata-niño se escuchaban ahora con tanta claridad que Sofía podía adivinar su posición exacta y trazar su rumbo desorientado. Cuando el nivel del agua se estabilizó y se aplacó la furia del viento, Sofía estaba atrapada entre un lago de agua sucia y el ático. El hambre se hizo insoportable. Perdió la noción del tiempo.

Saciar el hambre. Saciarla a toda costa. Eso era lo que Sofía pensaba mientras desesperaba. Recordó la ratonera que Jane colocó en el ático unos días antes. Los pasos que aún escuchaba confirmaban que el cebo seguía intacto tentando al animal. Imaginó el queso y salivó. Comer, comerse el queso y pasar la noche en el ático. Dormir en un lugar seco con algo en el estómago, descansar. Eso era lo único que le importaba. Su temor al ático se había diluido. Encendió la linterna. Miró la puerta y, justo en el momento en que volvió a escuchar la rata caminar, comenzó una carrera desenfrenada hacia el interior del ático.

Abrió la puerta con violencia primitiva. La rata la miró sorprendida con un ojo negro y brilloso como un escarabajo. Se dirigía hacia el queso. Sofía se lanzó sobre el niño a tiempo para evitar que le arrebatara su manjar. La rata chillaba y se defendía con dentelladas salvajes. Sofía apretaba al niño con rabia. Del amasijo de cuerpos comenzó a brotar sangre. La rata, ahora niño, ahora rata, mordía y rasgaba los brazos y el cuello de Sofía, que la seguía apretando sin darle tregua. Se escuchó un grito sobrenatural y supo que había vencido.

Después de comer quedó satisfecha.

Descansaría tranquila. Mañana sería otro día y aún le quedaba todo el queso.

# Plagio

Barrido por el viento. Así se sentía Jorge Luis B caminando por la llanura, cuyo único límite era una cordillera nevada, a dos mil kilómetros de Buenos Aires. Su editor le había "sugerido" cambiar el final de la novela que todavía no lograba concluir.

—Le falta originalidad —le dijo, sin extenderse en más explicaciones.

El insomnio comenzó a torturarlo sin tregua. A veces, mientras penaba en la oscuridad de su cuarto, lo asaltaba la idea de un final grandioso. Saltaba de la cama, corría hacia el estudio y se sentaba frente a la máquina de escribir, sólo para comprobar que había olvidado la ocurrencia en el trayecto. Se le veía ojeroso y desaliñado. La misma pesadilla le amotinaba los sueños: una hormiga cargaba con dificultad la migaja que se le caía, justo antes de llegar al tope de la cima que pretendía dominar.

Decidió apartarse un tiempo de la rutina y de sus funciones en la Biblioteca Nacional. Por primera vez lo agobiaban los trajes grises y azules que transitaban la ciudad. Sintió que el exceso de parrillas, de fútbol, de tangos y de Perón le había indigestado el intelecto. Viajó a las soledades del sur.

Llevaba ochenta y seis noches en su destierro austral el día que escribió el final. Esa mañana caminó dos horas observando el paisaje, las faenas de los campesinos y a los niños jugando frente a las estancias, mientras eran vigilados por sus madres. Recordó al General B y a todos los muertos que vivían en él. Comprendió que no había nada nuevo bajo el sol. Que Dios (si existía) tenía el monopolio de la originalidad.

"¿A qué Dios más grande que mi Dios, le pertenece el lujo de la creatividad?" —se preguntó. El final se le presentó como una revelación.

Durante el regreso a su cabaña el zumbido del viento se hizo insoportable. Aceleró el paso. Estaba ansioso por llegar a escribir. Tres meses era mucho tiempo de espera por el final de una novela.

Cuatro días después, un comisario provincial encontró el cadáver de Jorge Luis B en estado avanzado de descomposición. Tenía el rostro destrozado. El revólver suicida aún era presa de una mano fría y rígida. En el rodillo de la máquina de escribir había quedado un papel que sólo decía: "Colorín, colorado, este plagio se ha acabado."

# Toulouse

De: Luis N. Saldaña [lsaldana@saldanacarvajal.com]
Fecha: lunes, febrero 12, 2007 2:57 PM
Para: Olga Cruz
Asunto: Cuento

Estimada Olga:
Hoy a las cinco tengo que entregar un cuento en el periódico y no se me ocurre nada. ¿Tienes alguna sugerencia?
   Luis

De: Olga Cruz [ocruz@primerahora.com]
Fecha: lunes, febrero 12, 2007 3:03 PM
Para: Luis N. Saldaña
Asunto: Cuento

¿Que tal si desarrollas la historia del enano que me contaste el otro día?
   Olga

De: Luis N. Saldaña [lsaldana@saldanacarvajal.com]
Fecha: lunes, febrero 12, 2007 3:05 PM
Para: Olga Cruz
Asunto: Cuento

No conservé copia de ese correo. ¿Me lo puedes enviar?

Luis

De: Olga Cruz [ocruz@primerahora.com]
Fecha: lunes, febrero 12, 2007 3:07 PM
Para: Luis N. Saldaña
Asunto: Cuento

Tienes suerte. Abajo puedes leer la copia.

Olga

De: Luis N. Saldaña [lsaldana@saldanacarvajal.com]
Fecha: viernes, febrero 2, 2007 9:12 PM
Para: Olga Cruz
Asunto: Encuentro con enano

Ayer me pasó algo que quiero compartir contigo porque no quisiera que te pase a ti y porque subraya el problema que tenemos con los sin techo, los deambulantes.

Tenía un juicio en el interior y paré temprano en una panadería a comprar un café. Como lo quería para el camino y el local estaba vacío, dejé el carro

68

abierto. De regreso estaba concentrado en enfriar el café y me monté como un robot, sin fijarme mucho en lo que hacía. Enseguida sentí un olor horrible (me acuerdo y me dan ganas de vomitar). Miré hacia el asiento del pasajero y me encontré con un deambulante que se había subido al carro.

Además de apestar, estaba mugroso, lleno de pústulas y era el enano más raro que he visto. Me extendió la mano y me dijo "soy Trus" o "Toulouse". No entendí muy bien porque tenía un acento raro. Debí bajarlo ahí mismo, pero le di la mano y lo escuché pedirme que lo llevara hasta la autopista. Tenía una mano dentro de una bolsa de papel y pensé que cargaba una pistola. Así que, resignado a ser secuestrado por un enano, puse el carro en marcha sin oponer resistencia.

—Soy Luis —le dije, sorprendido de lo tranquilo que me sentía, aun en esas circunstancias.

Para entonces ya no sentía la peste. Sólo me preocupaban las manchas de pus y de sangre que quedarían en el asiento de cuero. El enano me dijo que era francés y que llegó a Puerto Rico en mil novecientos cincuenta y nueve con ínfulas de ser pintor (en este punto sacó de la bolsa unos pinceles y garabateó el aire).

Estábamos detenidos en el último semáforo antes de entrar a la autopista, cuando me contó que visitó El Yunque pocos días después de haber llegado. Llevaba todos sus materiales para pintar y todo su dinero porque no confiaba en el dueño del circo donde trabajaba a tiempo parcial. Se topó con una tropa de niños escuchas en una de las veredas más solitarias del parque. Trató de hablar con ellos, pero el que parecía el líder, se burló de su tamaño, lo tumbó al suelo de un empujón y comenzó a pegarle sin clemencia. Los otros lo vitoreaban y le gritaban: "pégale, Luis, dale duro…". Me contó que sabía que el apellido del escucha era Saldaña porque lo vio en la placa del uniforme. La voz le temblaba. Parecía estar rabioso.

Luego de unos segundos de incómodo silencio, quise preguntarle el final de su historia, pero el enano se bajó del carro dando un salto que pareció imposible para alguien de su condición física. La luz del semáforo cambió a verde y tuve que acelerar en dirección de la autopista. Aún tuve tiempo de escuchar que me gritaba: "pregúntale a tu padre el resto de la historia… tú pagarás por lo que hizo."

¿Qué te parece?

Luis

De: Olga Cruz [ocruz@primerahora.com]
Fecha: lunes, febrero 12, 2007 3:49 PM
Para: Luis N. Saldaña
Asunto: Cuento

Luis:
Buscando en los archivos del periódico, conseguí una

*70*

información que puede ayudarte con el cuento. A los quince años, tu padre fue arrestado por agredir a un enano que trabajaba en un circo itinerante, procedente de Guadalupe. Según el informe que tenemos en microficha, la víctima era un joven esquizofrénico que parodiaba a Toulouse Lautrec durante el espectáculo. Esta personita (así lo llamó la prensa) por poco muere. Tu abuelo utilizó todas sus influencias para que el caso que se instituyó contra tu padre se archivara. Todo esto ocurrió en mil novecientos cincuenta y nueve. En tu correo dices que el enano que encontraste vino a Puerto Rico ese mismo año. Me preocupan tantas coincidencias. Por favor, cuídate.

    Olga

De: Luis N. Saldaña [enviado a:lsaldana@ saldanacarvajal.com]
Fecha: lunes, febrero 12, 2007 4:21 PM
Para: Olga Cruz
Asunto: Cuento

Gracias por la información. No te preocupes, no creo que ese enano mugroso vuelva a importunarme.

    Luis

De: Olga Cruz [enviado a:ocruz@primerahora.com]
Fecha: lunes, febrero 12, 2007 4:51 PM
Para: Luis N. Saldaña
Asunto: Cuento

En diez minutos vamos a prensa y aún no recibo tu cuento. Apúrate, Luis.

Olga


De: Luis N. Saldaña [enviado a:lsaldana@saldanacarvajal.com]
Fecha: lunes, febrero 12, 2007 4:59 PM
Para: Olga Cruz
Asunto: Cuento


Ma chérie:
Ya se que conoce la historia de mi encuentro con el padre de su amigo. Reciba este correo a manera de epílogo. Luego del conato de juicio, juré vengarme. Don Eduardo Saldaña debió comprender la seriedad de la amenaza que hice a su hijo, porque pagó al dueño del circo, mi tutor, una cantidad sustancial de dinero para asegurar mi desaparición. No tengo tiempo de relatar los horrores que viví luego de que me secuestraran. Basta mencionar que cuando logré escapar del sanatorio al que me condenaron, mi agresor ya había muerto. Por lo tanto, he visitado a su hijo, cuya hospitalidad he sabido reciprocar. Por favor, indique a la redacción que Luis no podrá entregar su cuento.

Au revoir,
Toulouse

# El santo de Arroyo Hondo

Eloy Albarrán González, futuro párroco de Fuente Oscura, ingresó muy joven al seminario, a los veintidós años fue ordenado sacerdote marianista y, sin proponérselo, fue venerado como santo poco después de su muerte.

Más que astuto, era calculador y se le presentaron oportunidades para ocupar importantes posiciones en la jerarquía eclesiástica, pero decidió fungir como párroco de un pueblo de cuya existencia no daban fe los mapas.

Desde su modesto púlpito, acusó, sermoneó, y condenó a los feligreses. Aprobaba o rechazaba el currículo de la escuela, ostentaba privilegio de censura sobre el cine y aprobaba ordenanzas de manera oficiosa, con o sin el beneplácito del alcalde de turno. En fin, cinceló la conciencia de tres generaciones.

Le llamaban don Eloy, más por temor que por respeto. Hizo del confesionario su único aliado. Si la Petra confesaba sus debilidades carnales, don Eloy la consolaba en más de un sentido. Si Rosario buscaba consejo para sobrellevar la carga de un marido postrado, el buen clérigo visitaba al enfermo y, al despedirse, dejaba a la mujer con una sonrisa agradecida a flor de labio. Quien confesaba un robo, era aprehendido al poco tiempo por la guardia civil, enjuiciado en Mérida y, al regresar al pueblo, cruzaba al otro lado de la calle si veía acercarse a don Eloy. Señor de las vergüenzas y secretos de todos los vecinos, de los pobres y de los menos pobres, mantenía al pueblo en un constante estado de sitio emocional y su voluntad se cumplía sin reparos, por miedo al escarnio público. Sus desenfrenos jamás le impidieron subir al púlpito y desde allí señalar, sancionar y reprobar.

—Es el mismísimo demonio —murmuraba una mujer cuando lo veía atravesar la plaza con su paso prepotente.

—Ya se arrepentirá el día del Juicio —le contestaba una gitana que lavaba ropa en la fuente contigua.

—A callar, a callar… que todo lo escucha —remataba la más vieja de las mujeres.

Con el discurrir del tiempo, la esperanza de que el Señor pasara factura a don Eloy, se convirtió en un deseo colectivo. "Que se lleven al curita este año, para que no nos haga más daño" decía un aguinaldo popular que comenzó a oírse cada Navidad.

El día que intuyó la inminencia de la muerte, se vistió con una sotana que había reservado para la ocasión, se suministró la Extremaunción e intentó confesarse él mismo. No logró arrepentirse de las delaciones, ni de las mentiras. Tampoco hubo remordimiento por los actos impuros, ni por los excesos. Más bien, sintió alivio al recordar sus hijos concebidos, pero no nacidos y a los nacidos, pero no reconocidos. Estaba claro, no necesitaba perdones ni absoluciones para morir tranquilo. No tenía sentido continuar aquella farsa.

Reunió fuerzas, se cambió la sotana por ropas seculares y abandonó la parroquia, antes del amanecer. La mañana del 17 de diciembre de 1947 amaneció nevando en Fuente Oscura. Al sacristán Lemos le extrañó no encontrar a don Eloy en la capilla.

Tres días después, el cadáver de un anciano a quien nadie pudo reconocer, fue encontrado a las afueras de Arroyo Hondo, un pueblo más pequeño y más remoto que Fuente Oscura. Una apacible sonrisa descansaba sobre su rostro. La gente dijo que murió sereno, en paz con Dios. Más tarde se rumoró que era un santo. Todavía le prenden velas y le piden milagros que de vez en cuando decide conceder.

*Badajoz, 1973.*

# Doce

A Miguel Galíndez Puyol le gustaba que su hijo Arturo lo acompañara a la tertulia de los sábados. Le divertía verlo comer ensaimadas, con voracidad que a él se le antojaba pirañesca. Le divertía ver cómo Arturo se le adelantaba al cruzar el amplio salón que era el café y saludar a sus compañeros de tertulia, con el desparpajo de quien se intuye más allá de repúblicas, de falanges y de exilios.

Arturo se preguntaba qué motivo reunía a tantos extranjeros en una misma mesa. Aunque suponía que la razón era de orden moral, no lograba precisar qué los inducía a discutir tantas horas acerca de lo que ellos llamaban la cuestión española.

La mesera que atendía invariablemente la tertulia, una polaca de edad imprecisa, se llamaba María Schickshick. Era el personaje favorito de Arturo. Su risa de estruendo y su locuacidad, que desentonaban con la serenidad azulada de sus ojos, causaban en Arturo una fascinación incómoda.

Una mañana en que la tertulia amenazaba con pasar de las palabras a las palabrotas, María trató de mediar preguntando al niño si acompañaba su ensaimada con una limonada.

—Gracias, doce —contestó Arturo con tono de complicidad.

—¿Por qué me llamas "doce", Arturito? —la inco-modidad matizó el español estridente y gutural de María.

Miguel Galíndez abandonó de inmediato la discu-sión para atender la explicación de su hijo.

—Porque los tres números que tienes tatuados en la muñeca suman doce —contestó el niño, orgulloso de poder anunciarle a María que ya transitaba los misteriosos caminos de la aritmética. El padre lo riñó avergonzado, mientras se disculpaba con María, a quien no volvieron a ver en el café.

La ausencia de María produjo en Arturo una sensación parecida a las punzadas que sentía en el estómago el primer día de clases. No se lo comentó a nadie, pero tenía la certeza de ser el causante de la precipitada desaparición. "¿Por qué desapareció María? ¿No le gustó que la llamara doce?", se preguntaba Arturo sin poder rebasar los límites de su inocencia.

Los sábados de tertulia se sucedieron persistentes. Arturo siguió acompañando a su padre al mismo café de la ciudadela adoquinada. El recuerdo de María fue fundiéndose, de manera gradual e imperceptible, en el amasijo fluido e informe que era su memoria de esos tiempos. La sensación de pérdida fue reemplazada por muchas otras sensaciones y María por una larga sucesión de meseros.

El café parecía inalterable, estático en el tiempo y el espacio. Conservaba los mismos espejos ovalados, la misma máquina de hacer café tras el mostrador y las mismas ventanas, por las que se filtraban columnas de luz cuajadas de partículas de polvo. El perenne olor a tortillas y a manteca seguía impregnando la ropa y el pelo de los contertulios.

A la cuestión española, que seguía siendo el principal tema de discusión, se sumó la cuestión de Cuba, la de la Asamblea Constituyente, la de la guerra y muchas otras que hicieron soportable el exilio.

La última vez que Arturo apareció por el café, su padre aún no había dado los buenos días, cuando sentenció que las potencias tenían al mundo en jaque y opinó que Cuba tenía derecho a decidir si cultivaba caña o si cultivaba misiles.

Transcurrieron siete años. Justo el día en que el hombre dio un pequeño paso sobre la Luna, Arturo regresaba de Alemania, donde se doctoró en Filosofía.

Mientras esperaba abordar el vuelo que lo llevaría de regreso a su país, ojeaba el diario local. La foto de una mujer, a quien creyó reconocer, lo sacó de su distracción en el mismo momento en que una voz omnisciente anunció la tercera y última llamada para abordar su vuelo.

En la mesa donde esperaba, Arturo dejó un café frío, que le sirvió de cenicero y una mujer, que desde el papel miraba fijamente al objetivo. No tuvo tiempo de leer que la mujer de mirada serena y azulada había sido convicta en Argentina por el ajusticiamiento de un anciano alemán. Tampoco pudo leer que sólo se identificó con su número de comando: Doce.

# La decisión de Eloy López de Aro

La mañana del diecisiete de diciembre de mil novecientos sesenta y tres, Eloy López de Aro se preguntó si tendría el valor para afrontar la nueva prueba que Dios le presentaba. Hacía tiempo que la culpa lo perseguía durante el día y le amotinaba los sueños en la noche.

Mientras repetía su rígido ritual de aseo, hizo balance de lo que hasta entonces había sido su vida. Trazó una frontera perfecta entre los dos hemisferios de la cabellera gris y conjuró la imagen del párvulo que, cuarenta años antes, era peinado por un padre severo, antes de ir al colegio de niños bien. Se ungió con agua de colonia y recordó el olor de la sacristía del seminario. El olor de los tiempos en que todo estaba claro, el olor a dogmas absolutos. Se colocó los lentes de pasta negra y salió del baño envuelto en una nube de vapor.

"Tanto perseguirlos, para terminar usando sus colores", pensó con ironía al ver la cofia y la sotana roja sobre la cama. Hizo inventario de las confesiones que escuchó y de las absoluciones perentorias que concedió a los que ya no tenían tiempo para penitencias ni contriciones, los de la patria perdedora. Una vez más, lo estremeció la imagen del poeta innombrable desplomándose dentro de la fosa común. Presintió un nuevo acceso de culpa y se concentró en vestirse para exorcizar los demonios del pasado.

Se preguntó qué puerta abriría cuando concluyera el recorrido del pasillo. La de la izquierda, la que daba al patio trasero de la arquidiócesis, le permitiría huir al anonimato, a la libertad, a la absolución autoproclamada. La sotana sobre la cama, le pareció un charco de sangre que reclamaba venganza.

Se dejó caer medio vestido sobre una butaca acojinada y maldijo las dudas que lo asaltaban. "Patria y Dios cogidos de la mano" le pareció siempre un principio universal incuestionable. No encontraba justificación para impugnar un precepto tan sabio, que propulsó la reconquista, la inquisición y la colonización del Nuevo Mundo. Sin embargo, sentía una especie de resaca moral cuando recordaba su complicidad en delaciones, en persecuciones, en torturas.

Transcurrieron dos horas. Llegado el momento impostergable de la decisión, se levantó, respiró profundo y emprendió una marcha lenta, casi marcial. Cuando Eloy López de Aro llegó al final del corredor, abrió una de las puertas y se aprestó para recibir el abrazo que el pueblo ofrecía al nuevo Arzobispo de Sevilla.

*Jerez de la Frontera (1977)*

82

# El avaro

Más que austero, Juan Noblejas era avaro. En mil novecientos sesenta y siete, gastó una pequeña fortuna para entablar un litigio contra un hospicio de beneficencia, que hacía tres generaciones usufructaba una finca perteneciente a su familia. Los costos del proceso excedieron por mucho el valor del terreno reivindicado. Ese mismo año su madre fue enterrada en una fosa común, luego de un modesto servicio fúnebre que sufragó el consejo de vecinos.

Cobraba por adelantado las rentas a los campesinos, comulgaba dos veces en la misa, evitaba bañarse para no malgastar agua. Sólo se aseaba cuando llovía y siempre sin jabón, lujo que consideraba una frivolidad.

Si se recortaba, le molestaba ver el cabello caer al suelo de la barbería; utilizaba la misma camisa por varios meses para evitar gastos de tintorería; le incomodaba sentir las gotas de sudor resbalándole cuerpo abajo porque era un derroche de los líquidos hasta entonces ingeridos. Cortarse las uñas le causaba un sentimiento insoportable de pérdida.

Cansado de vivir en tan precario estado anímico, buscó la solución dentro de sí mismo. Tras un período intenso de reflexión, confirmó que sólo había un remedio para su crisis: el reciclaje.

Comenzó por comer sus secreciones, excrecencias, verrugas y otros apéndices que no debía desperdiciar. La singular dieta terminó por enfermarlo y el cuerpo se le pobló de pústulas, que más tarde se convirtieron en úlceras. No soportaba su imagen y decidió que los ojos sólo le servían como alimento; se los sacó con el único dedo que le quedaba en la mano izquierda y, cuando terminó de devorarlos, se arrancó el pene y lo engulló sin rodeos.

Cuando encontraron sus menguados restos, el párroco de Fuentespina le negó todo tipo de absolución y prohibió que se le enterrara en el camposanto. Así terminaron los días de Juan Noblejas, el avaro más avaro de Castilla y León.

# La ventana

Me encontraba destacado en Lyón como miembro del cuerpo de médicos militares. El caos imperante era el saldo de los bombardeos de la víspera. Vagaba por los pasillos del hospital, cuando una enfermera interrumpió su carrera para informarme que me necesitaban en la habitación veintiuno. Lo que presencié allí trascendía los límites de la ciencia y no tuve valor para interrumpirlo. Me limité a espiar desde el umbral.

El paciente de la cama del medio observaba un punto fijo en el paisaje que le ofrecía la única ventana de la habitación. A su derecha un soldado joven, que tenía los ojos vendados, se arrancaba el cabello mientras sollozaba. A su izquierda, un soldado más viejo tenía la expresión inconfundible del tedio, de la desesperanza.

—No llores. Anímate, por favor —dijo el paciente del medio al soldado joven. El soldado viejo los miraba con un gesto displicente.

—No recuerdo cómo ni cuándo me trajeron aquí. Estoy ciego. Muerto estaría mejor —se lamentó el soldado joven y continuó llorando.

El paciente del medio ofreció narrar lo que veía por la ventana y el soldado joven prestó atención.

Describió una plaza pequeña dominada por una iglesia.

—Es mi pueblo —comentó el joven.

El paciente del medio describió una casa rural.

—Es la mía —dijo el soldado joven y esbozó una sonrisa.

El soldado viejo continuaba callado. Dirigía hacia ellos su mirada burlona. Afuera continuaba nevando sobre los horrores del campo de batalla.

El paciente del medio describió una mujer que miraba jugar unos niños mientras preparaba queso.

—Son mi madre y mis hermanos —dijo el soldado joven. El rostro se le había iluminado.

La enfermera entró a la habitación, lavó los pies heridos del paciente del medio, le entregó unas pastillas al soldado viejo y se fue sin reparar en el soldado joven, que ya se había dormido.

El paciente del medio dedicó una mirada compasiva al soldado joven. Después clavó una mirada amenazante sobre el soldado de la izquierda y comenzó a narrar lo que veía a través de la ventana. No me atrevo a repetir lo que escuché.

# El lunar de Concepción

*Soy cosa tan pequeñita*
*que cuando salgo al balcón*
*y veo el brazo desnudo*
*de mi vecina Concepción, mi incorregible*
*corazón palpita.*

–AMADO NERVO

Olga y Rafael llevaban cinco años de casados cuando decidieron comprar un segundo apartamento. Se llevaban bastante bien y sus amigos los consideraban afortunados. Rafael dejaba la vida en una agencia de publicidad donde creía ser una estrella en ascenso. Olga se la ganaba como ejecutiva en un periódico.

Estaban satisfechos con la estabilidad que habían adquirido y disfrutaban los tres polvillos domésticos que echaban cada semana. Así que cuando la vecina puso el apartamento del frente en venta, les pareció sensato comprarlo como inversión. A Olga la intimidaba un poco el sacrificio que suponía el negocio, pero Rafael la tranquilizó.

—Ya verás que rápido se lo alquilamos a una multinacional de las que atiendo en la agencia —contestó Rafael y las dudas de Olga desaparecieron.

Olga puso un anuncio en la sección de alquileres del periódico el mismo día que compraron el apartamento. Rafael lo mercadeó entre sus clientes. Tuvieron que pagar varias mensualidades de la hipoteca antes de que un inquilino pasara el cedazo de sus respectivos prejuicios. Los polvillos semanales se redujeron a dos.

Pedro y Concepción se mudaron un sábado. A Olga le molestaba el exceso de atenciones que Rafa tenía con los inquilinos (en especial con la españolita), pero no dijo nada cuando los invitó a la playa tan pronto a ellos les pareciera oportuno. Esa semana echaron sólo un polvo.

El sol brillaba el día del paseo a la playa Concepción se desvistió con elegancia. Rafael la observó con disimulo. Más que un traje de baño, el bikini de Concepción parecía una camisa de fuerza que pretendía contener unos pechos macizos y amenazantes. Pero lo que más llamó la atención de Rafael fue una mancha que descubrió en el empeine de su inquilina. No podía concentrarse en otra cosa. La mancha era rojísima y tenía la forma exacta de una araña. No podía apartar su mirada de la mancha. Quería comerse aquella araña, estrujarla, besarla, mancillarla, tragársela, borrarla del empeine de Concepción, quedarse con ella para siempre. Le parecía perfecta aquella araña. Se preguntó si era un tatuaje.

—Es un lunar —dijo Concepción, como si le hubiera leído la mente. Rafael sintió la mirada

88

reprochadora de su esposa posarse sobre él y se le calentó el rostro. No se atrevió a levantar la vista y apenas habló el resto del día.

El contrato de alquiler llegó a su fin. No hubo más paseos, no hubo más arañas y llegaron a pasar meses y más tarde años entre polvo y polvo de Olga y Rafael.

# Emilio Díaz va a la cárcel

Leo el titular y me pregunto: ¿Irá Emilio Díaz a la cárcel?

Hace más de sesenta años escuché a mi maestra de primer grado gritar: "Emilio Díaz va a ahogarse". Fue durante una gira a la que, por fortuna, había asistido mi padre para ayudar con la supervisión de los alumnos. Papá se lanzó al lago a tiempo para que el incidente no pasara de un susto. Desde entonces nos unió una amistad entrañable.

Suele suceder que la vida nos dirige por caminos seleccionados de un modo tan arbitrario, que nos separa hasta de los amigos más queridos. Así paso con Emilio, a quien no vi en mucho tiempo una vez terminamos la escuela superior. Esta primera separación concluyó cuando recibí una invitación a su boda. Mi madre, que también fue invitada, me la entregó contentísima, al tiempo que me anunciaba: "Emilio Díaz va a casarse". La novia era Elena Monzón, una compañera de clases a quien ambos admirábamos, pero sólo Emilio se aventuraba a cortejar.

Después de su matrimonio, Emilio y yo tratamos de mantenernos comunicados, pero los almuerzos que acordamos celebrar el último viernes de cada mes, pronto fueron sustituidos por citas que nuestras respectivas prioridades concertaban. Así, volvimos a separarnos sin saber cómo ni por qué, arrastrados por una inercia apenas perceptible. Por un amigo común supe que se había ido a España para continuar sus estudios de Literatura.

De su regreso me enteré a través de la prensa. Emilio comenzó a publicar una serie de artículos en los que criticaba el régimen que se había instaurado en nuestro país durante su ausencia. Al principio sólo denunciaba situaciones que muchos conocían, pero pocos se atrevían a exponer (yo incluido). Según aumentaba el poder y los abusos del régimen, el tono de los artículos de Emilio se recrudecía. Desde su columna condenaba, denunciaba y repudiaba los excesos, las desapariciones y las torturas. Pensé advertirle que fuera mas cauto, pero no lo hice. Ya me aterraba que me asociaran con alguna gente.

Eventualmente el periódico cerró. A nadie sorprendió la noticia. Emilio se fue del país, después de soportar la expulsión de la cátedra que dictaba en la Universidad y resistir el desempleo con dignidad. Alertado por un conocido que trabajaba para el estado sobre el peligro que corrían él y su familia, optó por el exilio. De su nueva partida me enteré a través de una carta que me envió desde Madrid y que nunca contesté por cobarde.

Abatido por el cáncer, solicitó al régimen permiso para regresar. Se lo negaron, con la advertencia de que sería encarcelado. Traición a la patria fue el crimen imputado. Fiel a sus principios, Emilio ha vuelto y fiel a los suyos, el régimen lo ha encarcelado. Sobre su foto, el titular de primera plana lee: Emilio Díaz va a la cárcel.

Debido a su edad y a su precario estado de salud, el régimen permitió que el arresto fuera domiciliario hasta que se dicte la pena. Aunque no me he atrevido a visitarlo, puedo verlo vagando aturdido por su modesto apartamento. Puedo verlo caminar lento hacia una silla y, con movimientos torpes, treparse sobre ella. Emilio Díaz pronto dejará de ser Emilio Díaz Valcárcel. Emilio Díaz va a ahorcarse.

# Escamas

Pedro Juan Ramírez Padilla no pudo olvidar la Semana Santa de mil novecientos cincuenta y siete el resto de sus días. Los siete mil doscientos cuarenta y dos días que transcurrieron desde aquel Viernes Santo no lograron hacerle olvidar el montón de escamas que, bajo un agua putrefacta y pestilente, yacían como símbolo de la traición, de la corrupción moral y de la codicia de los hombres.

Aquella mañana, Pedro se levantó sintiéndose igual que todas las otras mañanas que hasta entonces habían entretejido los días y las noches de su vida. Hambriento, sudando, con la sensación de que el infinito lo aplastaba. Apresuradamente se metió en los restos de un pantalón, recogió los remiendos que él llamaba redes y se fue a pescar sin despedirse de su esposa.

Antes de echar su barca al mar, inundó los pulmones del olor a sargazo y a podredumbre salobre que flotaba en la ensenada. Navegando a la saga de las gaviotas, su barca, más que desplazarse sobre la superficie, ultrajaba la calma de un espejo líquido. El sol castigaba su piel con saña, como queriéndole hacer purgar un pecado que Pedro no alcanzaba a comprender.

Cuando se hubo distanciado lo suficiente de la orilla, se entretuvo contemplando el paisaje que hasta entonces había sido su universo. A la distancia, las casuchas se asomaban caprichosas entre las palmeras del litoral, como niñas presumidas, sin mostrar sus puertas desvencijadas ni sus ventanas maltrechas.

Con pericia ancestral lanzó sus redes, justo donde gaviotas y pelícanos libraban una frenética batalla, como corsarios que se disputaran un botín. Se postró sobre unos trasmallos a esperar su recompensa con la paciencia infinita de los pescadores milenarios. Mientras veía el humo que exhalaba la Central San Vicente perderse en la eternidad, calculó con ambición casi malsana la cantidad de pescado que vendería el Viernes Santo.

Las gaviotas ya emprendían su inexorable vuelo de regreso, cuando Pedro decidió retirar sus redes por última vez. Hasta entonces, sed, frustración y una espalda entumecida, eran el saldo de su jornada. Temió que el mar se hubiese convertido en la teta seca de su madre y, con ansiedad, con desesperación casi violenta, comenzó a subir las redes. Una vez más, las vio emerger vacías.

La rabia le envenenó la sangre y reclamó cada rincón de su enjuto cuerpo. Lentamente la rabia fue cediendo y dando paso a otro sentimiento que Pedro conocía muy bien, pues lo había albergado muchas veces. La resignación, que lo había perdido hacía ya tanto tiempo. Y resignado volvió a navegar a la saga de las gaviotas.

Durante la travesía de regreso no logró explicarse la razón de su fracaso. Estaba en estas cavilaciones cuando un resplandor lo cegó desde la superficie y, esperanzado, lanzó las redes sobre lo que supuso el mayor cardumen que había visto en sus años de pecador —perdón, he querido decir pescador.

Sus brazos, flacos y nudosos como las ramas de un guayabo, se esforzaron en subir las redes y llevar el resplandor a bordo de la barca. Más maravillado que exhausto contempló la colosal criatura a la que identificó como una sirena.

Recuperó el control de sí mismo y vació, de dos generosos tragos, la botella de aguardiente que cargaba. Lejos de oponer resistencia, le parecía que la sirena estaba agradecida de haber sido capturada por sus redes. Pedro tuvo la impresión de que su hallazgo se entregaba a un destino que había sido sellado desde un tiempo inmemorial.

La visión de la sirena lo llenó de una ternura hasta entonces desconocida, que le daba la paz que no podían darle los sermones del Padre Carlos.

Sintió vergüenza de sí mismo, cuando se le ocurrió venderla al Circo de los Hermanos Suárez, que pasaba cada seis meses por la villa pesquera a la que estaba próximo a llegar.

Ya había decidido mantener la sirena en el vivero que tenía detrás de su casucha cuando llegó a la orilla y varó su barca junto a las demás de la villa. Sólo entonces reparó en que el conjunto de barcas parecía un cementerio. Envolvió a la sirena en unos sacos, la cargó y, dejando las redes sobre la arena, emprendió el camino de regreso.

Yo lo vi cruzar el malecón con un gran saco a cuestas, en dirección del villorrio donde vivía. Fue entonces cuando le tomé la fotografía que aún conservo en mi oficina. (Todo lo que hasta este punto he narrado lo escuché mucho tiempo después, contado por el mismo Pedro, que para entonces ya había sido desterrado de la ínsula de la cordura por los demás pobladores de la villa. Todo lo que sigue, es un recuento de mi interacción con él, de entrevistas posteriores con su mujer y de la revisión que hice al expediente que le abrieron en el manicomio municipal).

—Buenas tardes, señor. Mi nombre es Julián Casablanca. Soy fotógrafo del Departamento de Agricultura, adscrito a la División de Educación a la Comunidad, y quisiera tomarle una foto para un estudio de campo que estamos realizando —le dije en el tono más conciliador y respetuoso del que fui capaz.

—Buenah taldes. Yo no tengo tiempo ahora. Tengo que lleval este pescao pa la casa antes de que se dañe —me contestó Pedro entre receloso y contrariado.

—Esto no va a tardar mucho, sólo un minuto —le dije, mientras la lente de mi Cannon lo señalaba como un dedo acusador.

Accedió a la foto ante mi insistencia y esbozó una sonrisa austera en dientes. Del otro lado de la lente me llegaba la imagen del trabajo duro, de los esfuerzos mal empeñados e ingratamente recompensados, de la ignorancia. Luego de una breve entrevista, redacté una ficha: Foto 17: Pedro Juan Ramírez Padilla; 37 años (Aprox.); analfabeto; pescador artesanal (de subsistencia).

Me entretuve observando a Pedro alejarse después de despedirnos. Me intrigó la magnitud del bulto que llevaba a cuestas. Más que un saco de pescado, parecía cargar una cruz pesada y dolorosa. Me entristeció su estampa.

Después de asegurarse de que el vivero estaba limpio, depositó la sirena en él y entró a su casa a las siete de la tarde, presa de una ilusión, que no sentía desde que era niño.

—¿Cómo fue la pesca? —inquirió la mujer con marcada indiferencia.

—Mala. No pesqué un carajo —mintió el pescador. Había decidido no revelar el extraño hallazgo hasta saber lo que haría con su sirena.

—Si no pescaste na, comeremos las sobras de ayel —remató su mujer con un deje de desprecio.

99

Comieron en silencio. Iluminados por la luz mortecina que sobre ellos derramaba un bombillo solitario, parecían dos cadáveres.

Terminó de comer y salió a caminar en la oscuridad y a respirar el salitre que el viento arrastraba desde la ensenada. Todos sus pensamientos eran para su sirena, desde los más triviales hasta los existenciales. Un sentimiento enternecedor lo sobrecogió y regresó a su casa, guiado por la urgencia de poseer a su mujer.

Pedro la encontró tumbada boca abajo y comenzó a besarla pausadamente desde los pies hasta la nuca, haciendo escalas prolongadas en los puertos intermedios. Enredado entre los pelos crespos de su mujer bendijo el olor a sudor rancio que añejaban sus axilas. A Magdalena debieron sorprenderla los modos amables y tiernos del pescador. Probablemente extrañó el ritual de escorpiones que era el amor que le profesaba su marido. Probablemente extrañó las prisas, las exigencias, los golpes.

El Viernes Santo, Pedro amaneció despejado, liberado de un gran peso. Instintivamente se dirigió al cafetín de la pequeña plaza donde, a pesar de la santidad del día, algunos bebíamos irreverentes. Yo había recesado mi estudio y decidí matar el tiempo en aquel lugar. Pedro me reconoció y al pasar por mi lado me espetó a modo de saludo: "¿Como está el señol fotógrafo?". No esperó respuesta y siguió caminando hasta el final del mostrador, donde lo recibieron varios hombres que también me parecieron pescadores. Pedro parecía otro. Caminaba con seguridad y en sus ojos brillaba el optimismo de quienes tienen un lugar en el mundo.

El sonido de los ventiladores que colgaban del techo era interrumpido intermitentemente por las risas y las voces de los otros pescadores. Igual que Pedro, eran hombres de modales rudos, de piel curtida, desnutridos e ignorantes. Desde la trastienda un radio alternaba noticias sobre un conflicto bélico, con anuncios de brillantina, de cerveza, de aguas maravillosas y con boleros de Daniel Santos. El exceso de tragos elevó el volumen de la conversación y escuché las preguntas que le dirigieron a Pedro, quien ya daba señas de estar ebrio.

—Compaí, no lo vi ayel vendiendo en el melcado. ¿Qué pasó? La venta jue güena —le preguntó el pescador más viejo.

—¿Cómo va sel? Si yo lo vi calgando un saco lleno —se extrañó otro de los pescadores.

Yo también me extrañé, pues lo había visto con el misterioso saco a cuestas y él mismo me había confirmado que era pescado (¿o escuché pecado?).

Un silencio incómodo invadió el cafetín. Todas las miradas se posaron en Pedro, exigiendo explicaciones. Yo mismo presté atención y me interesé en sus razones. Pedro tardó en contestar. Parecía debatirse entre las fauces de un dilema.

—Es que pesqué una sirena —dijo al fin,

tímidamente, con la misma desesperanza que lo vi alejarse por el malecón.

Se enrareció el ambiente. El silencio se intensificó. Las carcajadas estallaron al unísono. "¡Una sirena!", exclamaban todos una y otra vez con sorna. Lo rodearon y, todavía riendo, comenzaron a empujarlo, a exigir la verdad.

—Cabrón, mentiroso. ¿Te crees que semos pendejos? —le reclamó el que antes lo había tratado de compadre.

Lo vejaron con la crueldad que sólo puede engendrar la ignorancia. En vano trató de ofrecer explicaciones. Sus palabras eran atropelladas por la risa estúpida y febril de una turba embrutecida.

Pedro logró escapar y, profiriendo imprecaciones, abandonó el cafetín. Vagó sin rumbo por la villa y, en la esquina que formaban las calles Remedios y Arsenal, decidió dirigirse hacia la playa. Estaba borracho y cansado, pero caminó dos horas por la arena.

Las noticias, las buenas y las malas, los rumores y los chismes, se esparcen rápido. Pueblo pequeño, infierno grande. Cuando Pedro caminaba de regreso por el malecón, un hombre, que machete en mano destazaba un coco, le preguntó dónde tenía la sirena. "De que coños hablas, no fui yo quien la pescó", le contestó Pedro y aceleró el paso hacia la pequeña plaza de la villa.

Escuchó que el Padre Carlos lo llamaba cuando pasó por la iglesia, en dirección del cafetín.

—Pedrito, hijo, necesitamos hablar. ¿Quieres confesarte? Sabes que no debes mentir. Mucho menos un Viernes Santo. ¿Qué cuento es ese que inventaste sobre una sirena? —el cura lo amonestó como quien regaña a un párvulo de colegio.

—Oiga curita, yo no necesito confesal na'. Usted sabe que las sirenas no existen —le contestó el pescador al párroco y, desandando parte de lo andado, se fue a su casa.

Entró iracundo. Con un gusto amargo, de hiel, poblándole la boca. Encontró a su mujer tratando de desenredarse el pelo frente a un pedazo de espejo, que fijaba un clavo a la pared. Le pareció más desagradable de lo usual.

—¿Así que pescaste una sirena? —lo recibió su mujer, quien comenzaba a decirle que se lo había contado el compadre en la plaza hacía una hora y que... No llegó a concluir su relato. Pedro le asestó una cachetada, que la hizo desplomarse ante la mirada aterrorizada de su hijo.

—Sólo una puta como tú puede creel esas historias, las sirenas no existen —negó Pedro por tercera vez, y salió en dirección del vivero. Había decidido devolver la sirena al lugar de donde jamás debió sacarla (¿saquearla?).

Afuera el cielo se había nublado. Pájaros negros anunciaban un diluvio apocalíptico. Pedro apenas podía abrirse paso entre la hojarasca que levantaba el viento. Cuando logró asomarse al vivero, el rostro se le desfiguró en la mueca de terror que lo acompañó hasta el final de sus días. Donde antes había dejado una hermosa y celestial criatura, sólo habían quedado escamas.

# En peligro de extinción

No es posible, Julio. No es posible —escuché decir al gobernador de la Torre, primero molesto, luego desconcertado.

Me acerqué con sigilo a la puerta entreabierta de la biblioteca. Mi padre caminaba alrededor de la mesa fumando. Parecía preocupado. Don Miguel sorbía un licor que me pareció brandy y, sentado a la mesa, leía una carta haciendo un gesto de negación, el ceño igual que cuándo le avisaron que el teatro no estaría listo para la celebración de las bodas de don Fernando VII. Al otro lado de la mesa, sentado y también fumando, Monseñor Aguayo los observaba tranquilo, a través de sus lentes redondos. Era el único que parecía tener claro el curso de acción que debía seguirse respecto a lo que comunicaba la carta.

—Esta vez no puedo ayudar a tu hijo, Julio. Sé que me entiendes —dijo al fin el Monseñor, se paró de la mesa, caminó hacia don Miguel de la Torre y le extendió la mano abierta, en señal de que le entregara la carta que acababa de leer. Don Miguel obedeció. Luego miró a papá con ojos solidarios.

Antes de marcharse, el Monseñor volvió a dirigirse a mi padre, para decirle que había sido muy sensato avisarle de la carta. El modo autoritario que empleó cuando instruyó al gobernador de la Torre que doblara la vigilancia en San Juan y en todos los puertos de la Isla me incomodó.

En el patio del nivel inferior los músicos interpretaban una contradanza. Me apresuré a mezclarme con los demás invitados de la fiesta para no levantar sospechas.

Durante los días que siguieron me dediqué a urdir un plan para apoderarme de la carta. Estaba seguro de que era de mi hermano Julio. Solicité al sacristán de la Catedral de San Juan que me incluyera entre los párvulos que servirían de monaguillos en la Misa de Gallo. De esa forma lograría acceso al despacho del Monseñor. Había acompañado a papá varias veces a ver a don Cristóbal Aguayo y sabía cómo llegar desde la sacristía hasta su despacho. También sabía en cuál gaveta de su escritorio guardaba el dinero y los documentos que mi padre le entregaba durante sus visitas. Tenía la esperanza de que hubiese guardado la carta ahí.

Calculé que tendría diez minutos para salir de la sacristía y correr hasta el despacho antes de la misa, mientras el Monseñor y los demás oficiantes se preparaban. Así lo hice. Luego de ponerme la túnica de monaguillo pedí permiso para salir de la sacristía con la excusa de ir al baño. Seguí el pasillo oscuro hasta el final y subí unas escaleras que me llevaron a la galería dónde se encontraba el despacho.

Según había anticipado, la puerta estaba cerrada. Logré abrirla con la pequeña navaja que me regaló mi hermano antes de partir hacia Londres. Una vez adentro aumenté la llama de la lámpara de aceite y comencé el registro. Busqué en todas las gavetas. Nada. La carta de mi hermano no aparecía. Estaba próximo a regresar a la sacristía cuando reparé en una carta que el Monseñor aún no había firmado. Iba dirigida a Su Santidad Gregorio XVI, Sumo Pontífice de La Iglesia. Aunque era conciente del poco tiempo que me quedaba, la leí con detenimiento, tratando de comprender todas sus implicaciones.

*24 de diciembre de 1831*

*Su Santidad:*

*La paz esté con Vosotros. Ante todo, reciba la sincera venia de su más afecto y obediente siervo, Monseñor Cristóbal Aguayo.*

*Según recordará, Su Santidad me relevó de mis funciones en el Santo Oficio y me trasladó a San Juan de Puerto Rico, escala obligatoria para todo destino en Las Indias. Me atrevo a tomar de su tiempo porque la trascendencia del asunto lo justifica.*

*Hace unos días, durante una fiesta en casa de una de las familias más prestigiosas de San Juan, el anfitrión, don Julio Vizcarrondo, me pidió acompañarlo a su biblioteca porque tenía que comunicarme un asunto delicado. Una vez allí, en compañía del Gobernador de la Isla, teniente general Miguel de la Torre, me entregó una carta de su hijo mayor.*

*El muchacho estudiaba en Londres hasta hace un año. Salió de la isla después que el Ejército Real lo sorprendió imprimiendo un manifiesto subversivo en una imprenta clandestina. Yo mismo intercedí por él. Pensaba que era un mal pasajero, justificado por su juventud (mea culpa).*

*Ahora ha escrito a su padre para avisarle que pasará dos días en San Juan, donde hace escala el barco que lo regresa a Londres desde Caracas. Según su carta, viene acompañado de otro joven llamado Charles Darwin, con quien anduvo en las Islas Galápagos observando pájaros y otras criaturas de Nuestro Señor. También informa a su padre que sus estudios los han llevado a concluir que todos los seres vivos provienen de un antepasado común, cuya necesidad de adaptación a las distintas condiciones y la selección natural los han convertido en especies distintas. No tengo necesidad de explicar los efectos que tendría la publicación de esta teoría sobre nuestros dogmas, nuestra hegemonía sobre la salvación y la perdición de las almas y sobre el poder de La Iglesia.*

*Afortunadamente, el joven Vizcarrondo también informa a su padre que tienen que evaluar muchos datos y confirmar varias hipótesis antes de publicar la teoría. Calcula que pueden pasar años antes de que esto suceda. Sin embargo, advierte que con la publicación desaparecerá todo rezago del antiguo régimen y un nuevo orden sustituirá todos los poderes, incluyendo las dictaduras de la fe.*

*Durante el tiempo que serví al Santo Oficio, aprendí que toda denuncia de un problema tiene que acompañarse con una solución. Según la carta, los herejes Darwin y Vizcarrondo llegan a San Juan el diecisiete de enero del próximo año de Nuestro Señor a bordo de la fragata Génesis. Descanse en la seguridad de que habrá dos pasajeros menos cuando el Génesis zarpe de San Juan. Utilizo la propia jerga de los herejes para describir su condición: están en peligro de extinción.*

*Nuestro Señor guarde la preciosa vida de su Santidad los muchos años que deseo y necesito.*

El sacristán me haló la oreja cuando regresé. La misa comenzaba con retraso por mi culpa. Las implicaciones de la carta de don Cristobal me atormentaron durante toda la Homilía.

Necesitaba actuar con cautela, pero sin perder tiempo. Fragüé una nueva estrategia. Mis doce años me conferían un efugio inigualable. Preparé una carta dirigida al Monseñor. Una carta que no podría ignorar. Aún tenía que servir de monaguillo en otra misa antes de que terminara el año. Utilizaría el mismo recurso para llegar hasta el despacho de don Cristobal y colocar la carta sobre su escritorio.

La noche de la misa del treinta y uno de diciembre seguí mi plan sin desviarme. Luego de ponerme la túnica, pedí permiso para ir al baño y corrí hasta el despacho del Monseñor. No pude abrir la puerta. No cargaba la navaja esa noche. Debía pensar, pensar rápido. No había tiempo. Deslicé la carta por debajo de la puerta y regresé a la sacristía. Esta vez llegué sin retraso.

*31 de diciembre de 1831*

*Monseñor Aguayo:*
*Está usted en peligro de extinción. Es preciso que venga a verme. Lo espero en la biblioteca de mi padre el 6 de enero a las diez de la mañana.*

*Julio Vizcarrondo, hijo*

Mi familia celebraba todas las fiestas del Día de Reyes en la finca de Carolina. Fingí estar enfermo durante la víspera y, de acuerdo con lo que esperaba, mis padres me permitieron quedarme en casa, al cuidado de Fabiana, una negra que nos servía desde tiempo inmemorial.

A las diez en punto, el Monseñor tocó la puerta de nuestra casa. De nada sirvieron las explicaciones de Fabiana. Aguayo insistió en que tenía una cita en la biblioteca de mi padre y ella lo condujo hasta allí. Dejé que transcurrieran cinco minutos antes de entrar.

—Andrés, no esperaba verte hoy, pensé que estarías con tus padres en la fiesta de Reyes.

Sus ojillos malvados me escrutaban tras los lentes. Trataba de determinar si yo conocía el motivo de su inusual visita, pero yo estaba preparado y actué con naturalidad.

—¿Has tenido noticias de tu hermano Julio? Mientras preguntaba esto sacó del bolsillo la pequeña navaja con las iniciales J.V. grabadas en el mango y la dejó sobre la mesa.

—Antes de irse a Londres me dejó su navaja y quiero devolvérsela —continuó, siempre estudiándome.

Ese giro de eventos estuvo a punto de derrumbarme, pero resistí y me aferré al plan.

—Casualmente, ayer recibí un paquete de folios y una carta en la que Julio me pide que se los entregue a Su Excelencia sin mencionar el asunto a nadie.

Dicho esto, el monseñor cambió de postura, se acomodó los lentes con el dedo índice y me pidió que le entregara el paquete sin dilación.

—Antes de entregarle el paquete, debo seguir unas instrucciones que no logré entender —le dije al Monseñor, seguro de que mi plan estaba resultando.

—¿Y qué instrucciones te ha dado? —su desesperación era cada vez más notoria.

—Debe usted brindar por la teoría de la evolución, antes de que yo le diga en dónde me solicitó esconder el paquete.

—Trae una botella y una copa, vamos —su impaciencia se había tornado en angustia. Ya no me estudiaban sus ojillos. Yo estaba en control.

Busqué la botella de brandy que papá conservaba en la biblioteca y él mismo se sirvió. Apuró el contenido de un solo trago.

—¿Dónde está el paquete?

Más que preguntar, exigía la respuesta.

—En la sacristía —mentí.

Aguayo se levantó y salió sin pronunciar otra palabra. Desde la ventana, lo vi cruzar la plaza en dirección de la Catedral. Cuando el Monseñor se perdió en el hormigueo de la calle, recuperé la navaja y me deshice la botella.

El Monseñor no llegó a la Catedral. Se desplomó poco después de cruzar la plaza. Los obituarios refirieron que el Señor llamó su criatura a morar junto a Él. Sólo Dios y yo sabíamos que la especie del monseñor estaba en peligro de extinción.

# Abolicionista

Volvió a mirar el reloj que llevaba asegurado al extremo de una leontina de oro y confirmó que pronto vendrían a buscar el pliego que aún no se decidía a firmar.

Su memoria conjuró los recuerdos de una infancia matizada por el arrullo de los brazos amplios y la complacencia de los pechos generosos de Mercedes, su niñera negra. Suspiró con nostalgia. Reflexionó unos minutos: más que ser parte de la suya, la vida de los esclavos le pertenecía. Le perteneció a su padre y antes que a él a su abuelo. Por eso le costaba tanto firmar aquel manifiesto.

Recordó con cariño al esclavo Juanico, que por ser mulato, limpio y de hablar correcto, trabajaba en la casa grande, lejos de los azotes del mayoral. Fue él quien le hizo probar el guarapo caliente que bebían los esclavos de tala antes de comenzar su jornada. Desde entonces prefirió ese brebaje al café que se servía en su casa. Una mañana su madre lo sorprendió cuando una esclava cuarterona le dispensaba un tazón de la infusión almibarada. Entonces no entendió su reacción exagerada, ni el tono de reproche que empleó para decirle al padre "el niño ha heredado tus gustos por los negros." Sonrió, sumergió la pluma en el tintero y escribió su nombre al final del documento: Julio.

Antes de que pudiera concluir la firma, le llegó desde lejos el rumor de unos cascos de caballo. En pocos minutos, Segundo golpearía con la intensidad usual la aldaba de la casona para recoger la declaración que estaba considerando suscribir.

El golpeteo del trote lo transportó a las cuadras de La Trinidad, donde el negro Eulogio Nieves le ensilló su primer caballo. Su alegría fue tanta cuando montó la bestia, que dio las gracias a Eulogio, antes de perderse a galope por el Camino Real. Sobre ese mismo caballo cabalgaba la primera vez que vio a Leoncia. Lavaba ropa en un descampado, a orillas del río que atravesaba la hacienda de don Marcelino Lasalle. El brillo que arrancaba el Sol a aquella piel tersa y sudada lo cautivó.

La espió varios días. La escuchó cantar con la misma cadencia resignada de las lavanderas de La Trinidad, la observó arrodillarse, sumergir los brazos en el agua y frotar con ahínco la ropa contra una tabla corrugada.

Evocaba ahora la tarde en que la negrilla se despojó del camisón de lienzo mallorquín, descubrió un cuerpo firme, se sumergió en el río hasta la cintura y comenzó a atrapar agua en las concavidades que formaba con las manos, para echársela sobre la cabeza. No pudo aguantar más. Corrió hasta la orilla, reparó en el terror de la negrilla al verlo, se metió al agua aún vestido, la agarró con violencia por el pelo y la arrastró hasta la orilla. A pesar de las patadas, las mordidas, los arañazos y los gritos, logró someterla a sus deseos.

Forzada a cumplir sus faenas diarias, Leoncia regresó con puntualidad inexorable a sus citas. Con el pasar del tiempo, los modos se suavizaron, se intercambiaron nombres y pareceres, y Julio llegó a extrañar el olor a guarapo tibio que emanaba del cuerpo de su amante.

Ponderó melancólico que todos esos negros habían sido de alguna forma parte de su vida y no tenía certeza de cómo, por qué o en qué momento dejó de verlos. Creía recordar que el amo de Leoncia la entregó como pago de una apuesta perdida.

El crepitar de la lámpara interrumpió sus evocaciones. Se preguntó si debía firmar el manifiesto, si no extrañaría su antigua forma de vida, si se arruinaría. Recordó las exigencias de las enmiendas al Reglamento de Esclavos. Calculó que a los jornaleros libres no tendría que vestirlos, ni alimentarlos y que algunos eran capaces de cultivar ciento veinte varas castellanas en un año. Sí, no había dudas, los tiempos habían cambiado y la esclavitud era una injusticia insostenible. Se decidió a firmar, volvió a sumergir la pluma en el tintero y escribió con aplomo su apellido: Vizcarrondo.

La aldaba sonó con intensidad exagerada. Poco después, una esclava le anunció que don Segundo lo esperaba en el salón. Echó secante al papel y lo dobló con cuidado. Después lo guardó en un bolsillo de su casaca, apagó la lámpara y abandonó el despacho, sin sospechar cuánto lamentaría la decisión el resto de sus días.

# Paranoia

Los últimos tres meses de mi vida los atormentó la certeza de una muerte traumática e inoportuna, presagiada por el acecho sin tregua que me daba un cuervo. Comenzó a seguirme por los callejones y avenidas principales de mi barrio. Más tarde, por los confines de la ciudad y, por último, me acosó sin respetar fronteras de tiempo o espacio.

La primera vez que reparé en él, salía del cine, acompañado de otros miembros de un jurado que debía otorgar el premio en un prestigioso certamen de cortometrajes. Me observaba desde un árbol, cuyas ramas sin hojas, acentuaron mi estado melancólico de esos días. Me ajusté la bufanda y aceleré el paso tratando de ignorar la mirada terrible que me había destinado aquella urraca.

Durante la cena, no pude participar de la deliberación del jurado. La visión del plumaje negro me nublaba el pensamiento. Mi parquedad incomodó a varios colegas, que no tuvieron remilgos en expresar su enojo ante mi comportamiento sustraído.

De regreso al apartamento, tomé el metro en la esquina de Constitución y Reforma. Un hombre, a quien mis prejuicios clasificaron como obrero, leía el periódico en el asiento de enfrente. Tres estaciones más tarde, dobló el diario, me sonrió, haciendo alarde de una dentadura irregular y abandonó el vagón. Sólo cuando el metro comenzaba a moverse, me percaté de que llevaba un cuervo tatuado en cada brazo.

La mirada del cuervo me revolvió los sueños esa noche. El sonido metálico que emitía el pajarraco, se tornó en la alarma de mi reloj despertador demasiado temprano para comenzar un día saludable. Decidí excusarme en la oficina por enfermedad. Después de una ducha que no me despertó del todo, salí con la intención de desayunar en un café tranquilo, a pocos bloques de mi edificio.

Tan pronto crucé la primera calle, el cuervo me avisó su presencia con un chillido que empezaba a serme familiar. Esta vez me observaba desde un cable del tendido eléctrico. A su mirada terrible se sumaba ahora una sonrisa burlona. Sí, estaba seguro de que se burlaba de mí. Traté de ignorarlo y caminé más rápido. Me mezclé con la gente que transitaba aglomerada por la acera. Luego corrí desesperado, apartando, empujando, atropellando a quien se cruzaba en la trayectoria de mi fuga. Todo era inútil. El cuervo me seguía volando, gritando, armando alharaca por todo el barrio. Sin embargo, nadie parecía notar su presencia. Sólo yo corría y, mientras miraba al cielo, me sacudía un demonio emplumado que trataba de darme picotazos en la cabeza.

Solicité vacaciones. No estaba en condiciones de trabajar y hacía tiempo que posponía un viaje.

—¿Te encuentras bien? —preguntó mi jefa desde el otro lado del auricular. Su preocupación parecía genuina. Debió percibir la demacración en mi voz.

—De maravillas, sólo necesito unos días para ir de caza —bromeé, un poco aliviado de confirmar que no tenía objeción a mis vacaciones.

Luego de comprar el billete aéreo que me llevaría a Europa en unos días, entré a un cine, más que para entretenerme, para refugiarme de la pertinaz persecución del cuervo. Me había seguido a través de las calles cercanas a mi casa y me esperaba posado en un semáforo, frente a la estación del metro contigua a la agencia de viajes. A la entrada del cine nos repartieron unos espejuelos de cartón con lentes de plástico tornasolado.

—Son una sorpresa que ofrece la Metro-Goldwyn-Mayer a sus clientes —me dijo una muchacha, con tono de publicista en cierne.

No pude ver la película. Los avances que se presentaban antes de que la sala oscureciera por completo para la presentación principal, incluían el fragmento de un largometraje restaurado de Alfred Hitchcok. Por efecto de los espejuelos de cortesía, miles de pájaros volaron dentro del teatro dando gritos y picotazos. Fue entonces, durante la huída despavorida hacia mi casa, que entendí que el cuervo era un mal agüero; un azor volando a la siniestra.

El viaje a Europa parecía cumplir su propósito. No había visto al cuervo en varios días y comenzaba a tranquilizarme. Entré en un museo, donde se presentaba una exposición itinerante de Vincent Van Gogh. Los laberintos de pintura y las estrías de color brillante que eran las pinceladas del holandés en los cuadros de los primeros pabellones, me dieron la ilusión de estar alegre. Pero, según me adentraba en la exposición, la pintura se ensombrecía, augurándome un nuevo encuentro con la oscuridad.

Solo, en un recinto reservado, colgaba el último cuadro de Van Gogh: una bandada de cuervos recortada sobre un cielo gris, sobrevolaba un paisaje desolador. Recordé que aún cargaba los lentes de cartón en el morral. Decidido a vencer al cuervo, me los puse y caminé hacia el cuadro. Me sudaban las manos, la respiración se me entrecortaba, el corazón latía desbocado. A medida que me acercaba, los cuervos comenzaron un vuelo acompasado, pero amenazante. Como el de las avispas, en cuyos ojos te multiplicas cuando les has tumbado el panal. Me lancé sobre el cuadro, lo arranqué de la pared y empecé a destruirlo ante la mirada incrédula de los demás visitantes y de los ujieres de la sala.

Una nueva persecución se inició en medio del ruido ensordecedor de las alarmas. Esta vez era la policía quien me seguía, dando gritos más estremecedores que los del cuervo, que acudió puntual a la cita. Lo seguí hasta una torre en la parte trasera del museo y comencé a subir las escaleras a grandes trancos. Llegué al tope. Bajo mis pies, los techos de la ciudad presentaban una perspectiva fascinante. Escuché los pasos de los policías acercarse. Fue cuando decidí acompañar al cuervo en su vuelo final.

# Dialectos

*Si quieres comprender cómo te amo,*
*pídeme de la vida hasta la muerte.*
*Por ti desafiaré los elementos*
*los astros y la suerte.*
-Juan Antonio Corretjer

La cima del Gran Sasso ya estaba cubierta de nieve el día que llegaron. Caminaban por nuestra calle (la única del pueblo) cargando colchones, fajos de leña y atados andrajosos. Sobre todo, cargaban tedio y desolación en sus miradas.

Primero apareció una pareja, miraron hacia nuestro balcón y siguieron su marcha silenciosa. Poco después aparecieron tres, cuatro, siete y luego no pude contarlos porque eran más que los dedos de mi mano. Igual que los primeros, pasaban frente a nuestra casa y seguían su camino tras encontrarse con la muralla que era la mirada desconfiada de mi padre. Algunos paraban frente a casas vecinas, intercambiaban murmullos con los dueños y entraban de golpe, apenas se abría el portón.

Una mujer que dividía la atención entre sus escasas pertenencias y el niño que cargaba, se plantó frente a mi casa, sostuvo la mirada de papá e intercambió con él palabras en una lengua que no comprendí. Más que una conversación, parecían sostener un duelo. Mamá intercedió; habló en voz baja con papá; caminó hasta el portón y abrió la reja. La mujer entró y siguió a mi madre sin musitar otra palabra. Desde entonces, Sara y Jacobo ocuparon el cuarto que compartía con mi hermano.

Esa noche, cuando advertí que papá dormía ya, interrogué a mi madre:

—Mamá —comencé, adivinándola despierta.

—Duérmete —respondió no muy convencida, anticipando un interrogatorio incómodo.

—¿Quiénes son?

—Refugiados. Bombardearon su pueblo, perdieron su casa. Se quedarán aquí un tiempo.

—¿Cuánto?

—No lo sé. Por favor, duerme.

—No entendí a la señora.

—Tampoco yo. Habla un dialecto.

—¿Qué es eso? —pregunté a pesar de que me apretaba el brazo, en señal de que debía callar y dormirme.

—Es como italiano, pero distinto al italiano —contestó mamá, un poco insegura, y no muy satisfecha con la explicación.

—¿Por qué hablan dialecto? —insistí, sabiendo que estaba acercándome a los límites su paciencia.

—Porque son de otro pueblo porque tienen otra religión porque son diferentes.

—¿Papá habla dialecto?

—Lo aprendió cuando trabajaba en el puerto —contestó mamá, en un tono que no admitía dudas de que la conversación había concluido.

En la oscuridad de la noche más solitaria que hasta entonces había conocido quedaron suspendidas el resto de mis preguntas. Desde las parras, una lechuza dejó escapar un sonido hueco. Me dormí.

Jacobo tenía siete años. Uno más que yo, uno menos que mi hermano. A pesar de que hablaba dialecto, nos entendíamos por señas, a través de ese lenguaje universal que se conoce cuando se es niño y que no se sabe cuándo ni por qué se olvida. Pronto anduvimos los tres por la campiña, correteando liebres (cuando aún las había) y jugando a la guerra, ajenos a la guerra.

Mamá y Sara se entendían, hermanadas por los quehaceres domésticos, que desempeñaban al unísono. Así, sin necesidad de hablarse, preparaban pasta, horneaban pan y servían vino a los hombres que venían a la casa cada noche a escuchar las noticias de la guerra en el radio de papá.

En las noches en que aún ardía leña en la chimenea cuando se apagaba el radio, mamá, papá y Sara jugaban baraja napolitana, mientras Jacobo, Gian Marco y yo nos disputábamos los mendrugos de pan que sobraban de la cena. En fin, Sara y Jacobo se integraron a nuestra rutina de aquella época, en la que los hombres no trabajaban y los niños no íbamos a la escuela.

La comida empezó a escasear y las papas podridas que desenterraba mi padre sustituyeron el pan que antes horneaba mi madre. Llegué a olvidar el sabor de la pasta y sospecho que alguna vez hubo ratas en los cocidos que a veces preparaba Sara. A pesar del hambre, mi existencia siguió transcurriendo placentera, entre juegos y travesuras, que alternaba con agotadoras expediciones en las que ayudaba a papá a buscar leña.

La nieve había desaparecido de la cima del Gran Sasso el día que los soldados se presentaron en casa y ordenaron que todos habláramos en italiano. A los niños nos excusaron al percatarse de que nos habíamos orinado a causa del miedo.

El primero en hablar fue papá. Luego fue mamá quien consiguió sostener una conversación que los convenció de que dominaba el italiano. Sara logró decir dos oraciones en italiano antes de que se acelerara su respiración, comenzara a sudar y, finalmente, se hincara de rodillas sollozando ante los soldados. Suplicaba algo en su dialecto. La levantaron y la sujetaron por los brazos. Sólo dejó de gritar cuando escuchó que uno de los soldados preguntaba a mamá si todos los niños eran suyos. "Son todos míos", contestó mi madre sin demora. Sara se dejó arrastrar sin oponer resistencia. No podía verle el rostro, pero el temblor desmedido de sus hombros me confirmó que lloraba. Antes de montarse en el camión militar se volteó, miró con detenimiento a Jacobo y luego a mamá. Ese día comprendí que el amor no conoce dialectos.